최강 **단원별** 연산

계산박사

POWER

9 단계

최강 **단원별** 연산

계산
박사
POWER

계산박사 하나면 **충분**하다!

POWER 01
교과서 단원에 맞춘 연산 교재

POWER 02
초등 연산 유형 완벽 마스터

POWER 03
재미 UP! 연산 학습

9 단계

계산박사만의 남다른 특징

1 교과서 단원에 맞춘 연산 학습

교과서 주요 내용을 단원별로 세분화하여 교과서에
나오는 연산 문제를 반복 연습할 수 있어요.

❶ 대표 문제를 통해 개념을 이해해
보세요.

❷ 배운 내용을 아래 문제에서 연습
해 보세요.

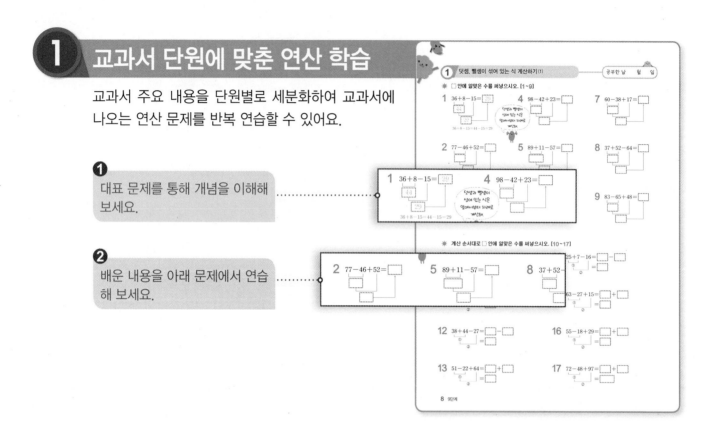

2 무료 모바일 러닝

QR 코드를 찍어 보세요.
문제 생성기 가 무료로 제공됩니다.

문제 생성기 같은 유형의 여러
문제를 더 풀어 볼 수 있어요.

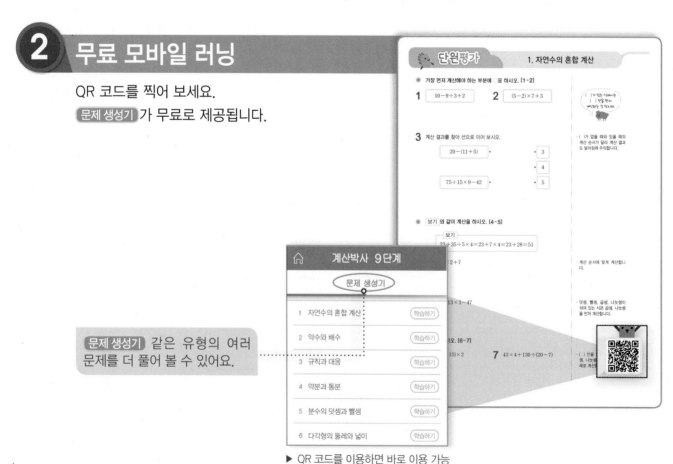

▶ QR 코드를 이용하면 바로 이용 가능

9단계

차례

1 자연수의 혼합 계산   4

2 약수와 배수   36

3 규칙과 대응   60

4 약분과 통분   74

5 분수의 덧셈과 뺄셈   100

6 다각형의 둘레와 넓이   126

1 자연수의 혼합 계산

제1화 펭귄 나라의 펭귄 왕자, 인간 세상에 오다!

이것 봐. 펭귄 열쇠고리 선물 받았다~

귀엽다~

어지러워. 흔들지 마!

엥? 무슨 소리지?

우악! 열쇠고리가…… 진짜 펭귄으로 변해 버렸잖아.

어지러워~

난 원래 펭귄 나라의 왕자인데 사정이 생겨 잠깐 열쇠고리로 변한 거야.

어떤 사정이 있었길래?

아빠가 아껴둔 생선을 몰래 꺼내먹다가……

킥킥.

몇 마리나 먹었는데?

원래 10마리였는데 5마리 먹고 나중에 2마리 잡다가 넣어 뒀어.

그럼 7마리가 남은 거네.

$$10-5+2=5+2$$
$$\underset{②}{\underset{①}{}}=7$$

덧셈과 뺄셈이 섞여 있는 식은 앞에서부터 차례로 계산합니다.

덩치는 작은데 엄청나게 먹는구나.

칫!

아~ 빨리 펭귄 나라로 돌아가고 싶어.

이미 배운 내용	이번에 배울 내용	앞으로 배울 내용
[3-1 덧셈과 뺄셈] [3-2 곱셈] [3-2 나눗셈] [4-1 곱셈과 나눗셈]	• 덧셈과 뺄셈의 혼합 계산 • 곱셈과 나눗셈의 혼합 계산 • 덧셈, 뺄셈, 곱셈, 나눗셈의 혼합 계산	[5-1 분수의 덧셈과 뺄셈] • 분모가 다른 분수의 덧셈과 뺄셈 [5-2 분수의 곱셈] • (분수)×(분수)

$$12 \times 2 \div 3 = 24 \div 3$$

곱셈과 나눗셈이 섞여 있는 식은 앞에서부터 차례로 계산합니다.

배운 것 확인하기

1 받아올림이 있는 세 자리 수의 덧셈

☀ 계산을 하시오. [1~5]

1
```
  ① ①
  3 7 1
+ 1 5 9
  5 3 0
```
└─ 1+9=10
└─ 1+7+5=13
└─ 1+3+1=5

각 자리에서 받아올림이 있으면 바로 윗자리에 받아올려 계산해.

2
```
  4 6 9
+ 2 5 3
```

4
```
  3 2 2
+ 6 7 8
```

3
```
  1 9 8
+ 3 5 4
```

5
```
  1 7 5
+ 9 3 8
```

☀ 계산을 하시오. [6~13]

6 746+18

7 255+37

8 484+66

9 539+75

10 196+149

11 558+266

12 338+264

13 709+157

2 받아내림이 있는 세 자리 수의 뺄셈

☀ 계산을 하시오. [1~5]

1
```
  5 13 10
  6  4  3
-  1  9  5
  4  4  8
```

받아내림이 연속으로 두 번 있으면 받아내림한 수를 정확히 표시해야 해.

```
  3 10          5 1310        5 1310
  6 4 3         6 4 3         6 4 3
- 1 9 5    ⇒  - 1 9 5    ⇒  - 1 9 5
      8            4 8          4 4 8
```

2
```
  3 4 7
- 2 6 8
```

4
```
  7 1 3
- 3 8 4
```

3
```
  5 6 1
- 1 7 5
```

5
```
  5 0 8
- 1 3 9
```

☀ 계산을 하시오. [6~13]

6 586-97

7 434-85

8 642-73

9 114-86

10 726-159

11 801-262

12 688-189

13 443-356

3 (두 자리 수)×(두 자리 수),
(세 자리 수)×(두 자리 수)

4 (세 자리 수)÷(한 자리 수),
(두 자리 수)÷(두 자리 수)

☀ 계산을 하시오.

☀ 계산을 하시오.

1
```
      2 7
  ×   4 8
  ┌─────────┐
  │ 2 1 6 │─ 27×8
  ├─────────┤
  │ 1 0 8 │─ 27×4
  ├─────────┤
  │ 1 2 9 6 │
  └─────────┘
```

27×8과 27×40의 합으로 구할 수 있어.

1
```
        ┌─────┐
        │ 7 5 │ ← 몫
        └─────┘
  7 ) 5 2 5
     ┌─────┐
     │ 4 9 │
     └─────┘
       ┌───┐
       │ 3 5 │
       └───┘
       ┌───┐
       │ 3 5 │
       └───┘
         0  ← 나머지
```
나머지가 0이면 나누어떨어진다고 해.

2
```
    1 9
  × 4 3
```

7
```
    5 8 4
  ×    5 0
```

2 5) 1 2 5

7 34) 6 8

3
```
    2 1
  × 6 7
```

8
```
    2 9 5
  ×    1 8
```

3 8) 2 8 8

8 26) 7 8

4
```
    8 0 0
  ×    5 0
```

9
```
    1 0 8
  ×    2 5
```

4 9) 3 9 6

9 17) 8 5

5
```
    3 0 0
  ×    8 0
```

10
```
    3 1 2
  ×    2 7
```

5 6) 4 1 4

10 19) 7 6

6
```
    2 4 3
  ×    3 0
```

11
```
    5 4 7
  ×    3 6
```

6 4) 1 8 8

11 23) 9 2

1
자연수의 혼합 계산

☀ ☐ 안에 알맞은 수를 써넣으시오. [1~9]

1 $36+8-15=\boxed{29}$

$\boxed{44}$

$\boxed{29}$

$36+8-15=44-15=29$

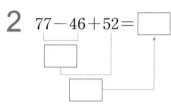
덧셈과 뺄셈이 섞여 있는 식은 앞에서부터 차례로 계산해.

4 $98-42+23=\boxed{}$

7 $60-38+17=\boxed{}$

2 $77-46+52=\boxed{}$

5 $89+11-57=\boxed{}$

8 $37+52-64=\boxed{}$

3 $68+36-45=\boxed{}$

6 $44-5+17=\boxed{}$

9 $83-65+48=\boxed{}$

☀ 계산 순서대로 ☐ 안에 알맞은 수를 써넣으시오. [10~17]

10 $42-39+51=\boxed{}+\boxed{}$
①
$=\boxed{}$
②

14 $25+7-16=\boxed{}-\boxed{}$
①
$=\boxed{}$
②

11 $54+29-36=\boxed{}-\boxed{}$
①
$=\boxed{}$
②

15 $63-27+15=\boxed{}+\boxed{}$
①
$=\boxed{}$
②

12 $38+44-27=\boxed{}-\boxed{}$
①
$=\boxed{}$
②

16 $55-18+29=\boxed{}+\boxed{}$
①
$=\boxed{}$
②

13 $51-22+64=\boxed{}+\boxed{}$
①
$=\boxed{}$
②

17 $72-48+97=\boxed{}+\boxed{}$
①
$=\boxed{}$
②

1 자연수의 혼합 계산

✹ 계산을 하시오. [1~18]

1 $25-8+19=36$

①②

$25-8+19=17+19=36$

> 25−8을 먼저
> 계산한 후 +19를
> 계산해야 해.

2 $94+15-64$

3 $52-46+61$

4 $69+63-97$

5 $146+27-84$

6 $48-19+55$

7 $73+41-27$

8 $76-37+25$

9 $33+77-86$

10 $43-36+74$

11 $108+43-67$

12 $32-18+115$

13 $84+17-55$

14 $60-28+49$

15 $25+86-64$

16 $42-13+66$

17 $7+58-26$

18 $101-22+53$

✹ 계산을 하시오. [19~20]

19 $78-46+27+15$

20 $81-53+46-29$

☀ □ 안에 알맞은 수를 써넣으시오. [1~9]

1 $80-(36+17)=$ 27

53

27

$80-(36+17)=80-53=27$

( )가 있는 식은
( ) 안을 먼저
계산해야 해.

2 $91-(56+18)=$ □

3 $97-(27+64)=$ □

4 $78-(59+15)=$ □

5 $55-(14+19)=$ □

6 $76-(42+18)=$ □

7 $165-(84+24)=$ □

8 $200-(57+98)=$ □

9 $309-(154+83)=$ □

☀ 계산 순서대로 □ 안에 알맞은 수를 써넣으시오. [10~17]

10 $90-(31+48)=$ □ $-$ □
①
$=$ □
②

11 $48-(16+23)=$ □ $-$ □
①
$=$ □
②

12 $64-(48+9)=$ □ $-$ □
①
$=$ □
②

13 $36-(15+14)=$ □ $-$ □
①
$=$ □
②

14 $83-(56+22)=$ □ $-$ □
①
$=$ □
②

15 $64-(33+16)=$ □ $-$ □
①
$=$ □
②

16 $58-(32+15)=$ □ $-$ □
①
$=$ □
②

17 $100-(15+63)=$ □ $-$ □
①
$=$ □
②

☀ 계산을 하시오. [1~18]

1 $67-(25+25)=17$
①
②
$67-(25+25)=67-50=17$

( ) 안의
25+25를 먼저
계산해야 해.

2 $187-(72+69)$

3 $158-(22+89)$

4 $53-(18+18)$

5 $84-(36+28)$

6 $97-(46+45)$

7 $76-(28+20)$

8 $84-(19+26)$

9 $104-(63+27)$

10 $54-(25+13)$

11 $43-(13+24)$

12 $60-(41+17)$

13 $64-(36+16)$

14 $104-(56+19)$

15 $128-(94+15)$

16 $74-(18+47)$

17 $40-(12+15)$

18 $55-(9+19)$

☀ 계산을 하시오. [19~20]

19 $183-(78+67)+39$

20 $58+37-(54-35)$

5 ( )가 없는 식과 있는 식의 비교 — 덧셈, 뺄셈

☀ 두 식을 계산 순서에 맞게 계산하고, 계산 결과가 같으면 ○표, 다르면 ×표 하시오.

1 $44-16+18=\boxed{46}$
   $44-(16+18)=\boxed{10}$
   ⇨ 계산 결과 비교 ($\times$)

$44-16+18=28+18=46$
$44-(16+18)=44-34=10$

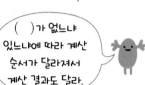

( )가 없느냐 있느냐에 따라 계산 순서가 달라져서 계산 결과도 달라.

6 $63-17+38=\boxed{}$
   $63-(17+38)=\boxed{}$
   ⇨ 계산 결과 비교 (   )

2 $72-24+14=\boxed{}$
   $72-(24+14)=\boxed{}$
   ⇨ 계산 결과 비교 (   )

7 $56-24+17=\boxed{}$
   $56-(24+17)=\boxed{}$
   ⇨ 계산 결과 비교 (   )

3 $35-6+11=\boxed{}$
   $35-(6+11)=\boxed{}$
   ⇨ 계산 결과 비교 (   )

8 $87-59+12=\boxed{}$
   $87-(59+12)=\boxed{}$
   ⇨ 계산 결과 비교 (   )

4 $108-49+20=\boxed{}$
   $108-(49+20)=\boxed{}$
   ⇨ 계산 결과 비교 (   )

9 $204-106+59=\boxed{}$
   $204-(106+59)=\boxed{}$
   ⇨ 계산 결과 비교 (   )

5 $111-55+38=\boxed{}$
   $111-(55+38)=\boxed{}$
   ⇨ 계산 결과 비교 (   )

10 $183-95+18=\boxed{}$
   $183-(95+18)=\boxed{}$
   ⇨ 계산 결과 비교 (   )

☀ □ 안에 알맞은 수를 써넣으시오. [1~9]

1 $22 \times 3 \div 6 = \boxed{11}$

$\boxed{66}$

$\boxed{11}$

$22 \times 3 \div 6 = 66 \div 6 = 11$

곱셈과 나눗셈이 섞여 있는 식은 앞에서부터 차례로 계산하면 돼.

4 $378 \div 7 \times 6 = \boxed{}$

7 $21 \times 4 \div 7 = \boxed{}$

2 $150 \div 5 \times 4 = \boxed{}$

5 $60 \div 3 \times 9 = \boxed{}$

8 $48 \div 6 \times 11 = \boxed{}$

3 $12 \times 8 \div 6 = \boxed{}$

6 $8 \times 8 \div 4 = \boxed{}$

9 $121 \div 11 \times 12 = \boxed{}$

☀ 계산 순서대로 □ 안에 알맞은 수를 써넣으시오. [10~17]

10 $56 \div 7 \times 42 = \boxed{} \times \boxed{}$
① ②
$= \boxed{}$

14 $14 \times 9 \div 21 = \boxed{} \div \boxed{}$
① ②
$= \boxed{}$

11 $25 \times 3 \div 5 = \boxed{} \div \boxed{}$
① ②
$= \boxed{}$

15 $38 \div 19 \times 3 = \boxed{} \times \boxed{}$
① ②
$= \boxed{}$

12 $110 \div 10 \times 9 = \boxed{} \times \boxed{}$
① ②
$= \boxed{}$

16 $16 \times 5 \div 10 = \boxed{} \div \boxed{}$
① ②
$= \boxed{}$

13 $4 \times 11 \div 2 = \boxed{} \div \boxed{}$
① ②
$= \boxed{}$

17 $86 \div 2 \times 3 = \boxed{} \times \boxed{}$
① ②
$= \boxed{}$

1

자연수의 혼합 계산

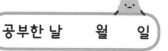
☀ 계산을 하시오. [1~18]

1 18×7÷3＝42

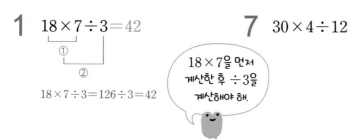

18×7÷3＝126÷3＝42

2 6×7÷21

3 85÷5×4

4 21×14÷7

5 54÷6×16

6 48÷6×5

7 30×4÷12

8 96÷4×11

9 8×14÷56

10 21×6÷14

11 120÷4×7

12 169÷13×3

13 27×5÷15

14 42÷7×8

15 15×8÷12

16 54÷3×7

17 18×8÷12

18 90÷6×8

☀ 계산을 하시오. [19~20]

19 48÷16×10÷5

20 54×3÷18×4

☀ □ 안에 알맞은 수를 써넣으시오. [1~9]

1 $100 \div (4 \times 5) = \boxed{5}$
$\boxed{20}$
$\boxed{5}$

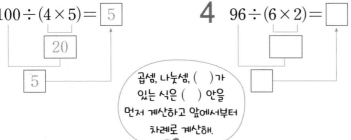

곱셈, 나눗셈, ( )가 있는 식은 ( ) 안을 먼저 계산하고 앞에서부터 차례로 계산해.

4 $96 \div (6 \times 2) = \boxed{}$

7 $90 \div (2 \times 5) = \boxed{}$

2 $110 \div (2 \times 11) = \boxed{}$

5 $150 \div (2 \times 5) = \boxed{}$

8 $48 \div (2 \times 4) = \boxed{}$

3 $216 \div (12 \times 3) = \boxed{}$

6 $80 \div (20 \times 4) = \boxed{}$

9 $125 \div (5 \times 5) = \boxed{}$

☀ 계산 순서대로 □ 안에 알맞은 수를 써넣으시오. [10~17]

10 $88 \div (2 \times 22) = \boxed{} \div \boxed{}$
① ② $= \boxed{}$

14 $56 \div (4 \times 7) = \boxed{} \div \boxed{}$
① ② $= \boxed{}$

11 $120 \div (3 \times 5) = \boxed{} \div \boxed{}$
① ② $= \boxed{}$

15 $96 \div (6 \times 4) = \boxed{} \div \boxed{}$
① ② $= \boxed{}$

12 $176 \div (8 \times 2) = \boxed{} \div \boxed{}$
① ② $= \boxed{}$

16 $162 \div (6 \times 3) = \boxed{} \div \boxed{}$
① ② $= \boxed{}$

13 $112 \div (4 \times 7) = \boxed{} \div \boxed{}$
① ② $= \boxed{}$

17 $224 \div (8 \times 7) = \boxed{} \div \boxed{}$
① ② $= \boxed{}$

❋ 계산을 하시오. [1~18]

1 $64 \div (2 \times 8) = 4$

$64 \div (2 \times 8) = 64 \div 16 = 4$

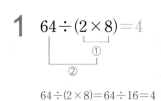

( ) 안의
2×8을 먼저
계산해야 해.

2 $70 \div (5 \times 7)$

3 $27 \div (9 \times 3)$

4 $44 \div (11 \times 2)$

5 $56 \div (2 \times 4)$

6 $648 \div (9 \times 6)$

7 $540 \div (10 \times 3)$

8 $108 \div (6 \times 6)$

9 $144 \div (12 \times 12)$

10 $75 \div (5 \times 3)$

11 $280 \div (5 \times 7)$

12 $324 \div (12 \times 3)$

13 $84 \div (3 \times 4)$

14 $128 \div (4 \times 2)$

15 $600 \div (15 \times 4)$

16 $288 \div (12 \times 12)$

17 $140 \div (2 \times 14)$

18 $432 \div (8 \times 9)$

❋ 계산을 하시오. [19~20]

19 $126 \div (14 \times 3) \times 10$

20 $104 \div (52 \div 4) \times 5$

☀ 두 식을 계산 순서에 맞게 계산하고, 계산 결과가 같으면 ◯표, 다르면 ×표 하시오.

1
- $24 \div 2 \times 4 = \boxed{48}$
- $24 \div (2 \times 4) = \boxed{3}$

⇨ 계산 결과 비교 (×)

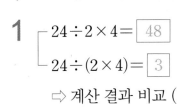

$24 \div 2 \times 4 = 12 \times 4 = 48$
$24 \div (2 \times 4) = 24 \div 8 = 3$

6
- $135 \div 9 \times 5 = \boxed{}$
- $135 \div (9 \times 5) = \boxed{}$

⇨ 계산 결과 비교 (   )

2
- $56 \div 14 \times 2 = \boxed{}$
- $56 \div (14 \times 2) = \boxed{}$

⇨ 계산 결과 비교 (   )

7
- $112 \div 4 \times 7 = \boxed{}$
- $112 \div (4 \times 7) = \boxed{}$

⇨ 계산 결과 비교 (   )

3
- $363 \div 11 \times 3 = \boxed{}$
- $363 \div (11 \times 3) = \boxed{}$

⇨ 계산 결과 비교 (   )

8
- $240 \div 6 \times 8 = \boxed{}$
- $240 \div (6 \times 8) = \boxed{}$

⇨ 계산 결과 비교 (   )

4
- $126 \div 7 \times 9 = \boxed{}$
- $126 \div (7 \times 9) = \boxed{}$

⇨ 계산 결과 비교 (   )

9
- $288 \div 12 \times 6 = \boxed{}$
- $288 \div (12 \times 6) = \boxed{}$

⇨ 계산 결과 비교 (   )

5
- $192 \div 4 \times 6 = \boxed{}$
- $192 \div (4 \times 6) = \boxed{}$

⇨ 계산 결과 비교 (   )

10
- $99 \div 3 \times 11 = \boxed{}$
- $99 \div (3 \times 11) = \boxed{}$

⇨ 계산 결과 비교 (   )

1
자연수의 혼합 계산

11 덧셈, 뺄셈, 곱셈이 섞여 있는 식 계산하기 (1)

☀ □ 안에 알맞은 수를 써넣으시오. [1~9]

1 $94 - 7 \times 5 + 14 = \boxed{73}$
① $\boxed{35}$
② $\boxed{59}$
③ $\boxed{73}$

곱셈을 먼저 계산한 다음 덧셈과 뺄셈을 앞에서부터 차례로 계산하면 돼.

4 $89 - 36 + 2 \times 26 = \boxed{}$

7 $113 + 9 - 22 \times 3 = \boxed{}$

2 $87 - 14 \times 6 + 3 = \boxed{}$

5 $24 + 7 \times 12 - 71 = \boxed{}$

8 $35 + 18 - 8 \times 5 = \boxed{}$

3 $26 + 11 \times 7 - 57 = \boxed{}$

6 $81 - 46 + 16 \times 4 = \boxed{}$

9 $16 + 5 \times 11 - 39 = \boxed{}$

☀ 계산 순서대로 □ 안에 알맞은 수를 써넣으시오. [10~13]

10 $100 - 6 \times 7 + 74 = 100 - \boxed{} + \boxed{}$
①
② $\quad = \boxed{} + \boxed{}$
③ $\quad = \boxed{}$

12 $75 - 36 + 12 \times 4 = \boxed{} - \boxed{} + \boxed{}$
② ① $\quad = \boxed{} + \boxed{}$
③ $\quad = \boxed{}$

11 $44 + 57 - 9 \times 11 = \boxed{} + \boxed{} - \boxed{}$
② ① $\quad = \boxed{} - \boxed{}$
③ $\quad = \boxed{}$

13 $18 + 8 \times 13 - 99 = \boxed{} + \boxed{} - \boxed{}$
① $\quad = \boxed{} - \boxed{}$
② ③ $\quad = \boxed{}$

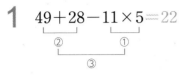

12 덧셈, 뺄셈, 곱셈이 섞여 있는 식 계산하기⑵

☀ 계산을 하시오.

1 $49+28-11\times5=22$

×⇨+⇨−의 순서로 계산해.

$49+28-11\times5=49+28-55$
$=77-55=22$

2 $54-40+15\times6$

3 $93-2\times16+67$

4 $182+30\times4-17$

5 $84-29+23\times3$

6 $36+77-24\times2$

7 $59-24+26\times5$

8 $74+3\times14-46$

9 $87+49-3\times33$

10 $12\times2+72-54$

11 $36-18+25\times3$

12 $47+9\times11-88$

13 $104-8\times7+66$

14 $146+58-16\times4$

15 $26\times3-53+29$

16 $104-56+18\times4$

1

자연수의 혼합 계산

13 덧셈, 뺄셈, 곱셈, (   )가 섞여 있는 식 계산하기(1)

☀ □ 안에 알맞은 수를 써넣으시오. [1~5]

1 $68+(120-9)\times8=$ 956

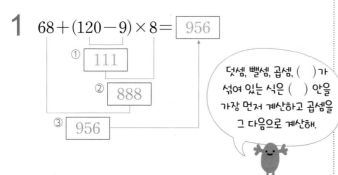

① 111
② 888
③ 956

> 덧셈, 뺄셈, 곱셈, (   )가 섞여 있는 식은 (   ) 안을 가장 먼저 계산하고 곱셈을 그 다음으로 계산해.

2 $126-(24+7)\times2=$ ☐

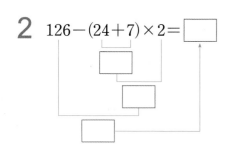

3 $12\times(4+7)-9=$ ☐

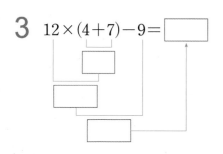

4 $17+5\times(84-63)=$ ☐

5 $83-4\times(5+9)=$ ☐

☀ 계산 순서대로 □ 안에 알맞은 수를 써넣으시오. [6~11]

6 $49+27\times(19-6)=$ ☐ $+$ ☐ $\times$ ☐
①
②
③
$=$ ☐ $+$ ☐
$=$ ☐

7 $(19+9)\times6-31=$ ☐ $\times$ ☐ $-$ ☐
①
②
③
$=$ ☐ $-$ ☐
$=$ ☐

8 $2\times(27+4)-27=$ ☐ $\times$ ☐ $-$ ☐
①
②
③
$=$ ☐ $-$ ☐
$=$ ☐

9 $4\times(53-18)+24=$ ☐ $\times$ ☐ $+$ ☐
①
②
③
$=$ ☐ $+$ ☐
$=$ ☐

10 $105-(27+8)\times2=$ ☐ $-$ ☐ $\times$ ☐
①
②
③
$=$ ☐ $-$ ☐
$=$ ☐

11 $36+5\times(41-25)=$ ☐ $+$ ☐ $\times$ ☐
①
②
③
$=$ ☐ $+$ ☐
$=$ ☐

✹ **계산을 하시오.**

1 $13 \times (4+34)-52 = 442$

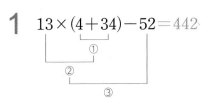

( ) ⇨ × ⇨ −
순서로 계산해.

$13 \times (4+34)-52 = 13 \times 38-52 = 494-52 = 442$

2 $8+(57-13) \times 2$

3 $90-3 \times (21+7)$

4 $6+2 \times (23-11)$

5 $8 \times (44-35)+17$

6 $85+(16-4) \times 7$

7 $(13-6) \times 2+19$

8 $(82+13) \times 2-9$

9 $(15-9) \times 8+32$

10 $2 \times (17+18)-16$

11 $54+3 \times (25-16)$

12 $133-(5+17) \times 4$

13 $8 \times (21-16)+87$

14 $94+5 \times (43-28)$

15 $62+(77-58) \times 2$

16 $(83-47) \times 6+15$

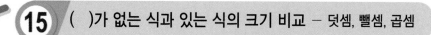

15 ( )가 없는 식과 있는 식의 크기 비교 − 덧셈, 뺄셈, 곱셈

공부한 날   월   일

☀ 계산 결과가 더 큰 쪽에 ◯표 하시오.

1 $42-8\times3+16$ $(42-8)\times3+16$

$42-8\times3+16=42-24+16=18+16=34$
$(42-8)\times3+16=34\times3+16=102+16=118$

7 $33+52-19\times3$ $33+(52-19)\times3$

2 $54-9+2\times3$ $54-(9+2)\times3$

8 $4+8\times14-75$ $(4+8)\times14-75$

3 $22+38-4\times12$ $22+(38-4)\times12$

9 $136-17+24\times3$ $136-(17+24)\times3$

4 $7+5\times6-3$ $7+5\times(6-3)$

10 $83+5\times11-7$ $83+5\times(11-7)$

5 $2\times16+24-50$ $2\times(16+24)-50$

11 $4\times13-8+26$ $4\times(13-8)+26$

6 $9\times8-6+36$ $9\times(8-6)+36$

12 $411-37+8\times4$ $411-(37+8)\times4$

✸ □ 안에 알맞은 수를 써넣으시오. [1~5]

1 $47-55 \div 11+87=$ 129

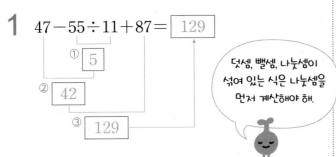

① 5
② 42
③ 129

덧셈, 뺄셈, 나눗셈이
섞여 있는 식은 나눗셈을
먼저 계산해야 해.

2 $8+72 \div 9-4=$ □

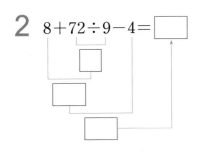

3 $26-64 \div 4+11=$ □

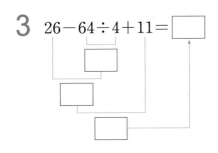

4 $24-19+60 \div 3=$ □

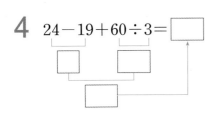

5 $48 \div 2-16+33=$ □

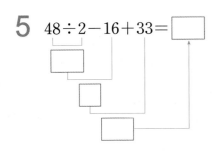

✸ 계산 순서대로 □ 안에 알맞은 수를 써넣으시오. [6~11]

6 $53+22-42 \div 6=$ □ $+$ □ $-$ □
②   ①
$=$ □ $-$ □
③
$=$ □

7 $15-27 \div 9+3=$ □ $-$ □ $+$ □
①
②
$=$ □ $+$ □
③
$=$ □

8 $48-31+25 \div 5=$ □ $-$ □ $+$ □
②   ①
$=$ □ $+$ □
③
$=$ □

9 $68+56 \div 8-46=$ □ $+$ □ $-$ □
①
②
$=$ □ $-$ □
③
$=$ □

10 $83-121 \div 11+9=$ □ $-$ □ $+$ □
①
②
$=$ □ $+$ □
③
$=$ □

11 $18+43-100 \div 25=$ □ $+$ □ $-$ □
②   ①
$=$ □ $-$ □
③
$=$ □

☀ **계산을 하시오.**

1 $40-5+49÷7=42$

②: $49÷7$ ①: $40-5$ ③: 합

$40-5+49÷7=40-5+7=35+7=42$

÷ ⇨ − ⇨ + 순서로 계산해.

2 $66+72÷8-37$

3 $93-26+54÷9$

4 $32÷8-2+14$

5 $24+18-108÷9$

6 $61+24÷6-27$

7 $49-36÷6+27$

8 $40-18÷3+58$

9 $18÷2-7+16$

10 $9+41-56÷7$

11 $73-100÷25+55$

12 $81-67+95÷5$

13 $16+118-128÷16$

14 $154÷22+43-19$

15 $65+65÷13-28$

16 $33-117÷13+45$

☀ □ 안에 알맞은 수를 써넣으시오. [1~5]

☀ 계산 순서대로 □ 안에 알맞은 수를 써넣으시오. [6~11]

1 $144 \div (19+5) - 2 = \boxed{4}$
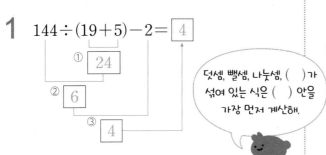

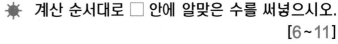
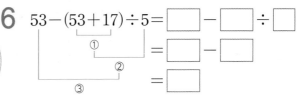

덧셈, 뺄셈, 나눗셈, ( )가 섞여 있는 식은 ( ) 안을 가장 먼저 계산해.

6 $53 - (53+17) \div 5 = \boxed{} - \boxed{} \div \boxed{}$
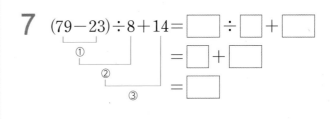
　　　　$= \boxed{} - \boxed{}$
　　　　$= \boxed{}$

2 $108 + 98 \div (14-7) = \boxed{}$
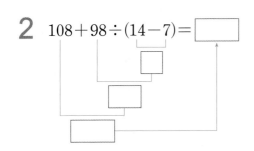

7 $(79-23) \div 8 + 14 = \boxed{} \div \boxed{} + \boxed{}$
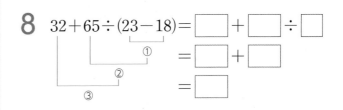
　　　　$= \boxed{} + \boxed{}$
　　　　$= \boxed{}$

3 $30 - 60 \div (11+4) = \boxed{}$
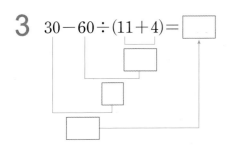

8 $32 + 65 \div (23-18) = \boxed{} + \boxed{} \div \boxed{}$
　　　　$= \boxed{} + \boxed{}$
　　　　$= \boxed{}$

9 $113 - (91+91) \div 7 = \boxed{} - \boxed{} \div \boxed{}$
　　　　$= \boxed{} - \boxed{}$
　　　　$= \boxed{}$

4 $88 \div (21-13) + 94 = \boxed{}$

10 $46 + 105 \div (31-10) = \boxed{} + \boxed{} \div \boxed{}$
　　　　$= \boxed{} + \boxed{}$
　　　　$= \boxed{}$

5 $(18+78) \div 4 - 16 = \boxed{}$
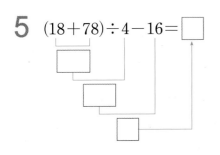

11 $28 + 75 \div (10-7) = \boxed{} + \boxed{} \div \boxed{}$
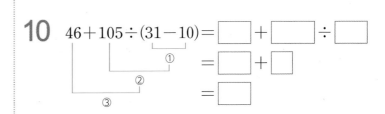
　　　　$= \boxed{} + \boxed{}$
　　　　$= \boxed{}$

1
자연수의 혼합 계산

☀ 계산을 하시오.

1 $62+12\div(4-2)=68$

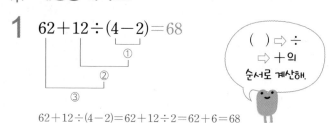

$62+12\div(4-2)=62+12\div 2=62+6=68$

2 $132\div(28-22)+39$

3 $(39+3)\div 7-2$

4 $32+126\div(15-6)$

5 $156\div(4+8)-3$

6 $26+(96-24)\div 8$

7 $800-(25+400)\div 5$

8 $175-135\div(19+8)$

9 $(200-31)\div 13+13$

10 $225\div(10+5)-15$

11 $35+(200-72)\div 8$

12 $130\div(5+21)-5$

13 $55-126\div(7+14)$

14 $66-(78+76)\div 11$

15 $43+104\div(46-33)$

16 $(345-197)\div 2+133$

☀ 계산 결과를 비교하여 ○ 안에 >, =, <를 알맞게 써넣으시오.

1 $54-9+33\div 3$ ⓥ $54-(9+33)\div 3$

$54-9+33\div 3=54-9+11$
$\quad\quad\quad\quad\quad\quad=45+11$
$\quad\quad\quad\quad\quad\quad=56$

$54-(9+33)\div 3=54-42\div 3$
$\quad\quad\quad\quad\quad\quad\quad=54-14$
$\quad\quad\quad\quad\quad\quad\quad=40$

( ) 안을 가장 먼저 계산해야 하는 것을 잊지 마.

2 $152\div 8+11-3$ ○ $152\div(8+11)-3$

3 $95\div 5-4+66$ ○ $95\div(5-4)+66$

4 $27+54\div 6-3$ ○ $27+54\div(6-3)$

5 $20-8\div 4+16$ ○ $(20-8)\div 4+16$

6 $22+132-12\div 12$ ○ $22+(132-12)\div 12$

7 $16-7+14\div 7$ ○ $16-(7+14)\div 7$

8 $34-96\div 16+16$ ○ $34-96\div(16+16)$

�֍ □ 안에 알맞은 수를 써넣으시오. [1~5]

1　$18 \times 3 - 72 \div 6 + 35 =$ $\boxed{77}$

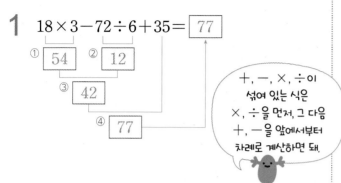

＋, －, ×, ÷이 섞여 있는 식은 ×, ÷을 먼저, 그 다음 ＋, －을 앞에서부터 차례로 계산하면 돼.

2　$72 \div 9 + 12 \times 6 - 37 =$ $\boxed{}$

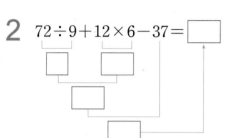

3　$54 - 9 \times 5 + 24 \div 3 =$ $\boxed{}$

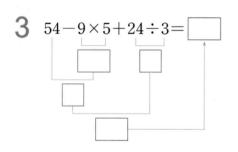

4　$56 + 23 \times 7 - 88 \div 4 =$ $\boxed{}$

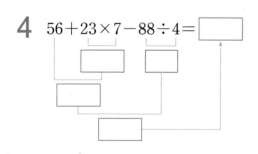

5　$41 - 18 \times 2 \div 6 + 15 =$ $\boxed{}$

✖ □ 안에 알맞은 수를 써넣으시오. [6~10]

6　$31 \times 4 - 56 \div 8 + 75$

$= \boxed{} - 56 \div 8 + 75$

$= \boxed{} - \boxed{} + \boxed{}$

$= \boxed{} + \boxed{}$

$= \boxed{}$

7　$9 \times 6 + 70 \div 5 - 33$

$= \boxed{} + 70 \div 5 - 33$

$= \boxed{} + \boxed{} - \boxed{}$

$= \boxed{} - \boxed{}$

$= \boxed{}$

8　$38 - 15 + 12 \times 2 \div 3$

$= \boxed{} - 15 + \boxed{} \div 3$

$= \boxed{} - \boxed{} + \boxed{}$

$= \boxed{} + \boxed{}$

$= \boxed{}$

9　$43 + 64 \div 2 - 7 \times 8$

$= 43 + \boxed{} - 7 \times 8$

$= \boxed{} + \boxed{} - \boxed{}$

$= \boxed{} - \boxed{}$

$= \boxed{}$

10　$4 + 83 - 57 \div 3 \times 4$

$= 4 + 83 - \boxed{} \times 4$

$= \boxed{} + \boxed{} - \boxed{}$

$= \boxed{} - \boxed{}$

$= \boxed{}$

✷ 계산을 하시오.

1 $16+42 \div 7 \times 11-38 = 44$

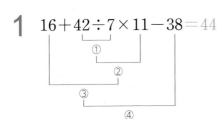

$\times, \div \Rightarrow +, -$
순서로 계산해.

$16+42 \div 7 \times 11-38 = 16+6 \times 11-38 = 16+66-38 = 82-38 = 44$

2 $16 \times 8+46 \div 2-74$

3 $71-87 \div 3+8 \times 9$

4 $95-38+54 \div 6 \times 7$

5 $66+3 \times 13-33 \div 11$

6 $78 \div 3+31-5 \times 4$

7 $150 \div 3 \times 4+50-136$

8 $34+24 \times 5 \div 6-44$

9 $62 \div 2-7 \times 3+8$

10 $12 \times 8 \div 6-9+106$

11 $48 \div 3 \times 7+13-97$

12 $2+15 \times 16 \div 5-11$

13 $53+47-24 \div 8 \times 9$

14 $6 \times 14+18-49 \div 7$

1

자연수의 혼합 계산

☀ □ 안에 알맞은 수를 써넣으시오.

1 $102-49\times3\div(3+4)=$ 81

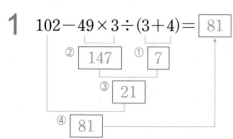

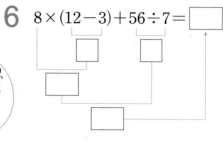

덧셈, 뺄셈, 곱셈, 나눗셈,
( )가 섞여 있는 식은
( ) 안을 가장
먼저 계산해.

6 $8\times(12-3)+56\div7=$ □

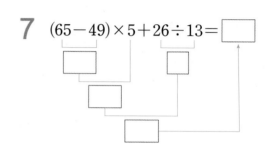

2 $(32-16)\div8+12\times6=$ □

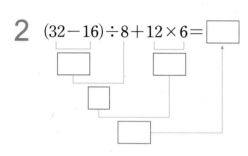

7 $(65-49)\times5+26\div13=$ □

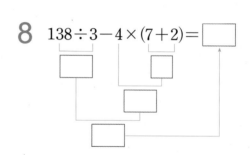

3 $15\times7+(63-49)\div2=$ □

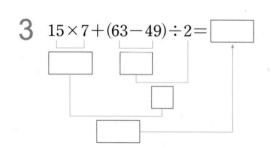

8 $138\div3-4\times(7+2)=$ □

4 $4\times(28+5)-72\div4=$ □

9 $120\div(4\times5)+54-27=$ □

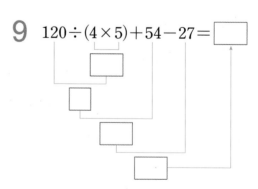

5 $68+(45-17)\div7\times8=$ □

10 $33-(15+12)\times2\div3=$ □

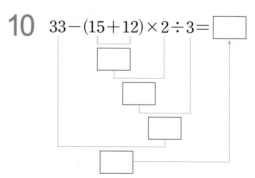

✸ 계산을 하시오.

1 $(20-2)\div9\times5+10=20$

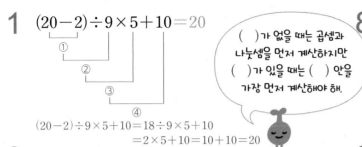

$(20-2)\div9\times5+10=18\div9\times5+10$
$=2\times5+10=10+10=20$

2 $13\times7-(24+44)\div4$

3 $(14-9)\times4+32\div8$

4 $(49+25)\times3-52\div4$

5 $109+39\times(11-9)\div6$

6 $(19-15)\times8+75\div5$

7 $168\div2+(63-25)\times5$

8 $10\times10-(58+6)\div2$

9 $6+(9-5)\div2\times7$

10 $32-(12\div4\times8+1)$

11 $96\div6\times(3+4)-9$

12 $53+8\times9\div(11-7)$

13 $18+15-135\div(5\times9)$

14 $19\times3+(70-14)\div14$

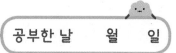
 계산 결과를 비교하여 ◯ 안에 >, =, <를 알맞게 써넣으시오.

( ) 안을 가장
먼저 계산해야 하는
것을 잊지 마.

1 $45+5\times18-9\div3$ ⟩ $45+5\times(18-9)\div3$

$45+5\times18-9\div3=45+90-9\div3$
$\qquad\qquad\qquad\quad=45+90-3$
$\qquad\qquad\qquad\quad=135-3$
$\qquad\qquad\qquad\quad=132$

$45+5\times(18-9)\div3=45+5\times9\div3$
$\qquad\qquad\qquad\qquad=45+45\div3$
$\qquad\qquad\qquad\qquad=45+15$
$\qquad\qquad\qquad\qquad=60$

2 $7\times8+4-56\div7$ ◯ $7\times(8+4)-56\div7$

3 $8\times3+74-50\div2$ ◯ $8\times3+(74-50)\div2$

4 $67+48-12\div4\times2$ ◯ $67+(48-12)\div4\times2$

5 $7+8\times3-24\div6$ ◯ $(7+8)\times3-24\div6$

6 $18\div3-2\times3+10$ ◯ $18\div(3-2)\times3+10$

7 $104-78+56\div4\times2$ ◯ $104-78+56\div(4\times2)$

☀ 등식이 성립하도록 두 수를 ( )로 묶어 보시오.

1 $55 - (15 + 26) = 14$

$(55-15)+26=40+26=66(\times)$
$55-(15+26)=55-41=14(\bigcirc)$

2 $83 - 19 + 38 = 26$

3 $104 - 38 + 59 = 7$

4 $56 \div 2 \times 4 = 7$

5 $64 \div 4 \times 8 = 2$

6 $104 \div 2 \times 13 = 4$

7 $6 + 5 \times 9 - 46 = 53$

8 $78 + 25 - 6 \times 2 = 116$

9 $100 - 6 \times 7 + 4 = 34$

10 $48 + 64 \div 8 - 7 = 7$

11 $15 + 133 \div 19 - 12 = 34$

12 $48 \div 8 - 4 + 16 = 28$

🌞 가장 먼저 계산해야 하는 부분에 ○표 하시오. [1~2]

1 $10 - 9 \div 3 + 2$

2 $(5 - 2) \times 7 + 3$

( )가 있는 식에서는
( ) 안을 먼저
계산하는 것 잊지마.

• ( )가 없을 때와 있을 때의 계산 순서가 달라 계산 결과도 달라짐에 주의합니다.

3 계산 결과를 찾아 선으로 이어 보시오.

$20 - (11 + 5)$ •

• 3

• 4

$75 \div 15 \times 9 - 42$ •

• 5

🌞 보기 와 같이 계산을 하시오. [4~5]

보기

$23 + 35 \div 5 \times 4 = 23 + 7 \times 4 = 23 + 28 = 51$

4 $(49 - 17) \times 2 + 7$

• 계산 순서에 맞게 계산합니다.

5 $63 + 52 \div 13 \times 3 - 47$

• 덧셈, 뺄셈, 곱셈, 나눗셈이 섞여 있는 식은 곱셈, 나눗셈을 먼저 계산합니다.

🌞 계산을 하시오. [6~7]

6 $60 - (10 + 15) \times 2$

7 $43 \times 4 + 130 \div (20 - 7)$

• ( ) 안을 먼저 계산하고 곱셈, 나눗셈을 앞에서부터 차례로 계산합니다.

8 계산 결과를 비교하여 ○ 안에 >, <를 알맞게 써넣으시오.

$$40 \times 8 \div 5 \quad \bigcirc \quad 84 \div 3 \times 6$$

• 곱셈과 나눗셈이 섞여 있는 식은 앞에서부터 차례로 계산합니다.

1

자연수의 혼합 계산

9 등식이 성립하도록 두 수를 ( )로 묶어 보시오.

$$42 \div 7 \times 3 = 2$$

앞에서부터 차례로 두 수씩 ( )로 묶어 계산해 봐.

10 성진이네 반 학급 문고에는 동화책이 56권, 위인전이 47권 있습니다. 그중에서 24권을 친구들이 빌려 갔습니다. 남은 책은 모두 몇 권인지 하나의 식으로 나타내고 답을 구하시오.

식 _____

답 _____

• 학급 문고에 있는 동화책과 위인전이 모두 몇 권인지 먼저 알아봅니다.

11 길이가 21 cm인 종이테이프를 3등분한 것 중의 한 도막과 11 cm인 종이테이프를 3 cm가 겹쳐지도록 이어 붙였습니다. 이어 붙인 종이테이프의 전체 길이는 몇 cm인지 하나의 식으로 나타내고 답을 구하시오.

식 $\quad 21 \div \square + 11 - \square = \square$

답 _____

• 두 종이테이프 길이의 합에서 겹쳐진 부분의 길이를 뺍니다.

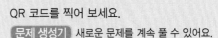

QR 코드를 찍어 보세요.

문제 생성기 새로운 문제를 계속 풀 수 있어요.

약수와 배수

제2화

펭귄 왕자는 생선을 제일 좋아해.

헉헉.

손에 들고 있는 건 뭐야?

엄마가 쓰레기 갖다 버리라고 하셔서 갖고 나온 거야.

의왼데~ 부모님 말씀 잘 듣다니, 착하다.

웬일이지?

사실은 쓰레기 버리면 용돈 주신다고 하셨어.

그럼 그렇지.

킥킥

전부 12개네. 한 번에 못 들 테니 똑같이 나눠서 들고 가면 되겠다.

12를 나눌 수 있는 수를 찾아야겠네.

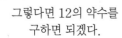

그렇다면 12의 약수를 구하면 되겠다.

$$12 \div 1 = 12 \quad 12 \div 2 = 6$$
$$12 \div 3 = 4 \quad 12 \div 4 = 3$$
$$12 \div 6 = 2 \quad 12 \div 12 = 1$$

12를 나누어떨어지게 하는 수를 12의 약수라고 합니다.
1, 2, 3, 4, 6, 12는 12의 약수입니다.
어떤 수를 나누어떨어지게 하는 수를 그 수의 약수라고 합니다.

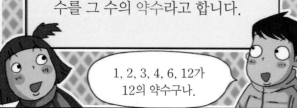

1, 2, 3, 4, 6, 12가 12의 약수구나.

우리도 도울게. 셋이니까 각자 4개씩 갖다 버리면 되겠네.

고마워. 용돈 받으면 떡볶이 사줄게.

난 매운 거 싫어.

넌 꽁치 통조림~

이미 배운 내용	이번에 배울 내용	앞으로 배울 내용

[3-1 나눗셈]
[3-2 곱셈]
[3-2 나눗셈]
[4-1 곱셈과 나눗셈]
	• 약수와 배수
	• 공약수와 최대공약수,
	  최대공약수 구하는 방법
	• 공배수와 최소공배수,
	  최소공배수 구하는 방법
		[5-1 약분과 통분]
		• 약분, 기약분수, 통분
		[5-1 분수의 덧셈과 뺄셈]
		• 분모가 다른 분수의 덧셈과 뺄셈

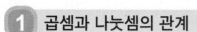

1 곱셈과 나눗셈의 관계

❊ □ 안에 알맞은 수를 써넣으시오.

1 $6 \times 8 = \boxed{48}$ ⇨ $\boxed{,48} \div 6 = 8$
$\boxed{48} \div 8 = 6$

$● \times ▲ = ■ <^{■ \div ● = ▲}_{■ \div ▲ = ●}$

곱셈과
나눗셈은
서로 반대야.

2 $9 \times 6 = \boxed{}$ ⇨ $54 \div \boxed{} = 6$
$54 \div \boxed{} = 9$

3 $5 \times 4 = \boxed{}$ ⇨ $20 \div \boxed{} = 4$
$20 \div \boxed{} = 5$

4 $7 \times 2 = \boxed{}$ ⇨ $14 \div \boxed{} = 2$
$14 \div \boxed{} = 7$

5 $3 \times 6 = \boxed{}$ ⇨ $18 \div 3 = \boxed{}$
$18 \div 6 = \boxed{}$

6 $8 \times 7 = \boxed{}$ ⇨ $56 \div 8 = \boxed{}$
$56 \div 7 = \boxed{}$

7 $8 \times 4 = \boxed{}$ ⇨ $32 \div 8 = \boxed{}$
$32 \div 4 = \boxed{}$

8 $5 \times 9 = \boxed{}$ ⇨ $45 \div 5 = \boxed{}$
$45 \div 9 = \boxed{}$

2 (세 자리 수)×(한 자리 수), (두 자리 수)×(두 자리 수)

❊ 계산을 하시오. [1~7]

1
$$\begin{array}{r} 1\ 3 \\ 1\ 2\ 5 \\ \times \qquad 6 \\ \hline 7\ 5\ 0 \end{array}$$
$5 \times 6 = 30$
$2 \times 6 + 3 = 15$
$1 \times 6 + 1 = 7$

올림한 수를
더하는 걸
잊지 마.

2
$$\begin{array}{r} 1\ 4\ 7 \\ \times \qquad 3 \\ \hline \end{array}$$

5
$$\begin{array}{r} 1\ 4 \\ \times\ 1\ 9 \\ \hline \end{array}$$

3
$$\begin{array}{r} 3\ 3\ 7 \\ \times \qquad 4 \\ \hline \end{array}$$

6
$$\begin{array}{r} 2\ 7 \\ \times\ 3\ 2 \\ \hline \end{array}$$

4
$$\begin{array}{r} 2\ 5\ 6 \\ \times \qquad 5 \\ \hline \end{array}$$

7
$$\begin{array}{r} 3\ 3 \\ \times\ 4\ 6 \\ \hline \end{array}$$

❊ 계산을 하시오. [8~11]

8 55×26

9 39×13

10 16×21

11 43×24

3 나머지가 있는 (몇십몇)÷(몇)

☀ □ 안에 알맞은 수를 써넣으시오. [1~3]

1 $42 \div 5 = \boxed{8} \cdots \boxed{2}$

■÷▲=●…★
에서 몫은 ●,
나머지는 ★이야.

2 $35 \div 4 = \boxed{} \cdots \boxed{}$

3 $69 \div 6 = \boxed{} \cdots \boxed{}$

☀ 계산을 하시오. [4~11]

4 $9 \overline{)91}$ **8** $8 \overline{)94}$

5 $7 \overline{)85}$ **9** $5 \overline{)79}$

6 $3 \overline{)56}$ **10** $6 \overline{)91}$

7 $4 \overline{)95}$ **11** $7 \overline{)158}$

4 (세 자리 수)÷(두 자리 수)

☀ 계산을 하시오.

1
```
        5    ← 몫
  54 ) 2 7 0
      2 7 0
          0  ← 나머지
```

54×6=324
이므로 몫은 6보다
작은 수가 되는 거야.

2 $46 \overline{)184}$ **7** $14 \overline{)126}$

3 $31 \overline{)217}$ **8** $57 \overline{)342}$

4 $26 \overline{)234}$ **9** $35 \overline{)490}$

5 $23 \overline{)322}$ **10** $68 \overline{)816}$

6 $18 \overline{)144}$ **11** $45 \overline{)945}$

2
약수와 배수

☀ □ 안에 알맞은 수를 써넣으시오.

1

$4 \div \boxed{1} = 4$ $4 \div \boxed{2} = 2$

$4 \div \boxed{3} = 1 \cdots 1$ $4 \div \boxed{4} = 1$

⇨ 4의 약수: $\boxed{}$, $\boxed{}$, $\boxed{}$

어떤 수의 약수에 1과 자기 자신은 항상 포함돼.

2

$6 \div \boxed{} = 6$ $6 \div \boxed{} = 3$

$6 \div \boxed{} = 2$ $6 \div \boxed{} = 1$

⇨ 6의 약수: $\boxed{}$, $\boxed{}$, $\boxed{}$, $\boxed{}$

3

$8 \div \boxed{} = 8$ $8 \div \boxed{} = 4$

$8 \div \boxed{} = 2$ $8 \div \boxed{} = 1$

⇨ 8의 약수: $\boxed{}$, $\boxed{}$, $\boxed{}$, $\boxed{}$

4

$18 \div \boxed{} = 18$ $18 \div \boxed{} = 9$

$18 \div \boxed{} = 6$ $18 \div \boxed{} = 3$

$18 \div \boxed{} = 2$ $18 \div \boxed{} = 1$

⇨ 18의 약수: $\boxed{}$, $\boxed{}$, $\boxed{}$, $\boxed{}$, $\boxed{}$, $\boxed{}$

5

$20 \div \boxed{} = 20$ $20 \div \boxed{} = 10$

$20 \div \boxed{} = 5$ $20 \div \boxed{} = 4$

$20 \div \boxed{} = 2$ $20 \div \boxed{} = 1$

⇨ 20의 약수: $\boxed{}$, $\boxed{}$, $\boxed{}$, $\boxed{}$, $\boxed{}$, $\boxed{}$

6

$27 \div \boxed{} = 27$ $27 \div \boxed{} = 9$

$27 \div \boxed{} = 3$ $27 \div \boxed{} = 1$

⇨ 27의 약수: $\boxed{}$, $\boxed{}$, $\boxed{}$, $\boxed{}$

7

$34 \div \boxed{} = 34$ $34 \div \boxed{} = 17$

$34 \div \boxed{} = 2$ $34 \div \boxed{} = 1$

⇨ 34의 약수: $\boxed{}$, $\boxed{}$, $\boxed{}$, $\boxed{}$

8

$35 \div \boxed{} = 35$ $35 \div \boxed{} = 7$

$35 \div \boxed{} = 5$ $35 \div \boxed{} = 1$

⇨ 35의 약수: $\boxed{}$, $\boxed{}$, $\boxed{}$, $\boxed{}$

9

$28 \div \boxed{} = 28$ $28 \div \boxed{} = 14$

$28 \div \boxed{} = 7$ $28 \div \boxed{} = 4$

$28 \div \boxed{} = 2$ $28 \div \boxed{} = 1$

⇨ 28의 약수: $\boxed{}$, $\boxed{}$, $\boxed{}$, $\boxed{}$, $\boxed{}$, $\boxed{}$

10

$44 \div \boxed{} = 44$ $44 \div \boxed{} = 22$

$44 \div \boxed{} = 11$ $44 \div \boxed{} = 4$

$44 \div \boxed{} = 2$ $44 \div \boxed{} = 1$

⇨ 44의 약수: $\boxed{}$, $\boxed{}$, $\boxed{}$, $\boxed{}$, $\boxed{}$, $\boxed{}$

☀ □ 안에 알맞은 수를 써넣으시오.

1

2를 1배 한 수 → $2 \times 1 = \boxed{2}$

2를 2배 한 수 → $2 \times 2 = \boxed{4}$

2를 3배 한 수 → $2 \times 3 = \boxed{6}$

2를 4배 한 수 → $2 \times 4 = \boxed{8}$

⋮

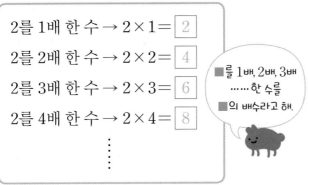

■를 1배, 2배, 3배 …… 한 수를 ■의 배수라고 해.

⇨ 2의 배수: $\boxed{2}$, $\boxed{4}$, $\boxed{6}$, $\boxed{8}$ ……

4

7을 1배 한 수 → $7 \times 1 = \boxed{}$

7을 2배 한 수 → $7 \times 2 = \boxed{}$

7을 3배 한 수 → $7 \times 3 = \boxed{}$

7을 4배 한 수 → $7 \times 4 = \boxed{}$

⋮

⇨ 7의 배수:
$\boxed{}$, $\boxed{}$, $\boxed{}$, $\boxed{}$ ……

2

3을 1배 한 수 → $3 \times 1 = \boxed{}$

3을 2배 한 수 → $3 \times 2 = \boxed{}$

3을 3배 한 수 → $3 \times 3 = \boxed{}$

3을 4배 한 수 → $3 \times 4 = \boxed{}$

⋮

⇨ 3의 배수: $\boxed{}$, $\boxed{}$, $\boxed{}$, $\boxed{}$ ……

5

8을 1배 한 수 → $8 \times 1 = \boxed{}$

8을 2배 한 수 → $8 \times 2 = \boxed{}$

8을 3배 한 수 → $8 \times 3 = \boxed{}$

8을 4배 한 수 → $8 \times 4 = \boxed{}$

⋮

⇨ 8의 배수:
$\boxed{}$, $\boxed{}$, $\boxed{}$, $\boxed{}$ ……

3

5를 1배 한 수 → $5 \times 1 = \boxed{}$

5를 2배 한 수 → $5 \times 2 = \boxed{}$

5를 3배 한 수 → $5 \times 3 = \boxed{}$

5를 4배 한 수 → $5 \times 4 = \boxed{}$

⋮

⇨ 5의 배수:
$\boxed{}$, $\boxed{}$, $\boxed{}$, $\boxed{}$ ……

6

9를 1배 한 수 → $9 \times 1 = \boxed{}$

9를 2배 한 수 → $9 \times 2 = \boxed{}$

9를 3배 한 수 → $9 \times 3 = \boxed{}$

9를 4배 한 수 → $9 \times 4 = \boxed{}$

⋮

⇨ 9의 배수:
$\boxed{}$, $\boxed{}$, $\boxed{}$ ……

2

약수와 배수

☀ 식을 보고 약수와 배수의 관계를 써 보시오.

●×▲=■ 에서 ■는 ●와 ▲의 배수야.

1
$$1 \times 6 = 6 \qquad 2 \times 3 = 6$$

6은 _1, 2, 3, 6_ 의 배수이고 _1, 2, 3, 6_ 은/는 6의 약수입니다.

2
$$1 \times 15 = 15 \qquad 3 \times 5 = 15$$

15는 _____ 의 배수이고 _____ 은/는 15의 약수입니다.

3
$$1 \times 16 = 16 \qquad 2 \times 8 = 16 \qquad 4 \times 4 = 16$$

16은 _____ 의 배수이고 _____ 은/는 16의 약수입니다.

4
$$1 \times 28 = 28 \qquad 2 \times 14 = 28 \qquad 4 \times 7 = 28$$

28은 _____ 의 배수이고 _____ 은/는 28의 약수입니다.

5
$$1 \times 8 = 8 \qquad 2 \times 4 = 8$$

8은 _____ 의 배수이고 _____ 은/는 8의 약수입니다.

6
$$1 \times 33 = 33 \qquad 3 \times 11 = 33$$

33은 _____ 의 배수이고 _____ 은/는 33의 약수입니다.

7
$$1 \times 18 = 18 \qquad 2 \times 9 = 18 \qquad 3 \times 6 = 18$$

18은 _____ 의 배수이고 _____ 은/는 18의 약수입니다.

8
$$1 \times 49 = 49 \qquad 7 \times 7 = 49$$

49는 _____ 의 배수이고 _____ 은/는 49의 약수입니다.

☀ 두 수가 약수와 배수의 관계이면 ○표, 아니면 ✕표 하시오.

1

2	6

(○)

$2 \times 3 = 6$
⇨ 2는 6의 약수입니다.
⇨ 6은 2의 배수입니다.

2

3	16

( )

3

7	21

( )

4

9	19

( )

5

5	31

( )

6

5	20

( )

7

4	9

( )

8

2	18

( )

9

9	27

( )

10

8	54

( )

11

6	24

( )

12

8	56

( )

13

9	22

( )

14

3	30

( )

15

11	44

( )

16

8	4

( )

17

18	36

( )

18

27	18

( )

19

24	24

( )

20

9	1

( )

2
약수와 배수

5 두 수의 공약수와 최대공약수 구하기 (1)

☀ □ 안에 알맞은 수를 써넣으시오.

1

8의 약수: 1, 2, 4, 8
12의 약수: 1, 2, 3, 4, 6, 12

┌ 8과 12의 공약수: 1 , 2 , 4
└ 8과 12의 최대공약수: 4

1, 2, 4는 8의 약수도 되고 12의 약수도 됩니다.

> 두 수의 공통된 약수를 두 수의 공약수라고 해.

2

10의 약수: 1, 2, 5, 10
16의 약수: 1, 2, 4, 8, 16

┌ 10과 16의 공약수: □, □
└ 10과 16의 최대공약수: □

3

20의 약수: 1, 2, 4, 5, 10, 20
28의 약수: 1, 2, 4, 7, 14, 28

┌ 20과 28의 공약수: □, □, □
└ 20과 28의 최대공약수: □

4

18의 약수: 1, 2, 3, 6, 9, 18
30의 약수: 1, 2, 3, 5, 6, 10, 15, 30

┌ 18과 30의 공약수: □, □, □, □
└ 18과 30의 최대공약수: □

5

27의 약수: 1, 3, 9, 27
45의 약수: 1, 3, 5, 9, 15, 45

┌ 27과 45의 공약수: □, □, □
└ 27과 45의 최대공약수: □

6

12의 약수: 1, 2, 3, 4, 6, 12
18의 약수: 1, 2, 3, 6, 9, 18

┌ 12와 18의 공약수: □, □, □, □
└ 12와 18의 최대공약수: □

7

15의 약수: 1, 3, 5, 15
21의 약수: 1, 3, 7, 21

┌ 15와 21의 공약수: □, □
└ 15와 21의 최대공약수: □

8

18의 약수: 1, 2, 3, 6, 9, 18
27의 약수: 1, 3, 9, 27

┌ 18과 27의 공약수: □, □, □
└ 18과 27의 최대공약수: □

9

24의 약수: 1, 2, 3, 4, 6, 8, 12, 24
28의 약수: 1, 2, 4, 7, 14, 28

┌ 24와 28의 공약수: □, □, □
└ 24와 28의 최대공약수: □

10

10의 약수: 1, 2, 5, 10
11의 약수: 1, 11

┌ 10과 11의 공약수: □
└ 10과 11의 최대공약수: □

☀ 두 수의 약수를 각각 구하고, 공약수와 최대공약수를 구하시오.

1 　10, 20

최대공약수는 공약수 중에서 가장 큰 수를 말해.

10의 약수: 1, 2, 5, 10

20의 약수: 1, 2, 4, 5, 10, 20

공약수:

최대공약수:

2 　14, 21

14의 약수:

21의 약수:

공약수:

최대공약수:

3 　36, 40

36의 약수:

40의 약수:

공약수:

최대공약수:

4 　24, 32

24의 약수:

32의 약수:

공약수:

최대공약수:

5 　18, 54

18의 약수:

54의 약수:

공약수:

최대공약수:

6 　12, 16

12의 약수:

16의 약수:

공약수:

최대공약수:

7 　33, 9

33의 약수:

9의 약수:

공약수:

최대공약수:

8 　5, 7

5의 약수:

7의 약수:

공약수:

최대공약수:

2 약수와 배수

☀ 두 수 ㉮와 ㉯의 최대공약수를 구하시오.

[1~7]

1
$$㉮ = 2 \times 9$$
$$㉯ = 3 \times 9$$
⇨ 최대공약수: 　9

공통으로 들어 있는 수가 두 수의 최대공약수야.

2
$$㉮ = 7 \times 8$$
$$㉯ = 8 \times 8$$
⇨ 최대공약수: □

3
$$㉮ = 5 \times 7$$
$$㉯ = 3 \times 5$$
⇨ 최대공약수: □

4
$$㉮ = 2 \times 2 \times 3$$
$$㉯ = 2 \times 3 \times 7$$
⇨ 최대공약수: □ × □ = □

5
$$㉮ = 4 \times 4 \times 5$$
$$㉯ = 3 \times 4 \times 5$$
⇨ 최대공약수: □ × □ = □

6
$$㉮ = 2 \times 2 \times 3 \times 5$$
$$㉯ = 2 \times 3 \times 3 \times 5$$
⇨ 최대공약수: □ × □ × □ = □

7
$$㉮ = 2 \times 3 \times 3 \times 7$$
$$㉯ = 3 \times 5 \times 7$$
⇨ 최대공약수: □ × □ = □

☀ □ 안에 1보다 큰 알맞은 수를 써넣으시오.

[8~13]

8
$$20 = 2 \times □$$
$$30 = 3 \times □$$
⇨ 20과 30의 최대공약수: □

9
$$24 = 4 \times □$$
$$42 = □ \times 7$$
⇨ 24와 42의 최대공약수: □

10
$$22 = 2 \times □$$
$$33 = 3 \times □$$
⇨ 22와 33의 최대공약수: □

11
$$12 = 2 \times 2 \times □$$
$$28 = □ \times □ \times 7$$
⇨ 12와 28의 최대공약수:
□ × □ = □

12
$$16 = 2 \times □ \times □ \times □$$
$$40 = 2 \times □ \times □ \times 5$$
⇨ 16과 40의 최대공약수:
□ × □ × □ = □

13
$$27 = □ \times □ \times □$$
$$36 = 2 \times 2 \times □ \times □$$
⇨ 27과 36의 최대공약수:
□ × □ = □

☀ □ 안에 알맞은 수를 써넣으시오.

1
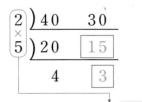

두 수를 각각
1 이외의 공약수로
나누어 봐.

⇨ 최대공약수: 2 × 5 = 10

6

2) 42   70
□)□   □
      3   □

⇨ 최대공약수: □ × □ = □

2

4) 12   20
    □   □

⇨ 최대공약수: □

7

3) 21   63
□)□   □
      1   □

⇨ 최대공약수: □ × □ = □

3

6) 18   30
    □   □

⇨ 최대공약수: □

8

5) 70   105
□)□   □
    □   □

⇨ 최대공약수: □ × □ = □

4

2) 26   52
□)□   □
      1   2

⇨ 최대공약수: □ × □ = □

9

4) 32   36
    □   □

⇨ 최대공약수: □

5

3) 30   105
□)□   □
    □   7

⇨ 최대공약수: □ × □ = □

10

5) 140   105
□)□   □
    □   □

⇨ 최대공약수: □ × □ = □

✹ 두 수의 최대공약수를 구하시오.

1

$$3)\overline{39\quad51}$$
$$13\quad17$$

1 이외의 공약수가
없을 때까지
나눠야 해.

최대공약수 (3   )

6

$$)\overline{110\quad44}$$

최대공약수 (   )

2

$$)\overline{4\quad12}$$

최대공약수 (   )

7

$$)\overline{72\quad45}$$

최대공약수 (   )

3

$$)\overline{28\quad21}$$

최대공약수 (   )

8

$$)\overline{78\quad39}$$

최대공약수 (   )

4

$$)\overline{36\quad42}$$

최대공약수 (   )

9

$$)\overline{16\quad20}$$

최대공약수 (   )

5

$$)\overline{20\quad36}$$

최대공약수 (   )

10

$$)\overline{72\quad48}$$

최대공약수 (   )

11

$)\overline{16\quad 32}$

최대공약수 (   )

12

$)\overline{15\quad 105}$

최대공약수 (   )

13

$)\overline{45\quad 27}$

최대공약수 (   )

14

$)\overline{24\quad 72}$

최대공약수 (   )

15

$)\overline{36\quad 60}$

최대공약수 (   )

16

$)\overline{90\quad 108}$

최대공약수 (   )

17

$)\overline{56\quad 70}$

최대공약수 (   )

18

$)\overline{100\quad 40}$

최대공약수 (   )

19

$)\overline{64\quad 128}$

최대공약수 (   )

20

$)\overline{36\quad 54}$

최대공약수 (   )

2

약수와 배수

✸ ☐ 안에 알맞은 수를 작은 수부터 차례로 써넣으시오.

1

2의 배수: 2, 4, 6, 8, 10, 12 ……
3의 배수: 3, 6, 9, 12, 15 ……

두 수의 공통된 배수를 두 수의 공배수라고 해.

┌ 2와 3의 공배수: 6 , 12 ……
└ 2와 3의 최소공배수: 6

6

3의 배수: 3, 6, 9, 12, 15, 18, 21 ……
5의 배수: 5, 10, 15, 20, 25, 30, 35 ……

┌ 3과 5의 공배수: ☐ , 30 ……
└ 3과 5의 최소공배수: ☐

2

4의 배수: 4, 8, 12, 16, 20, 24 ……
8의 배수: 8, 16, 24, 32, 40 ……

┌ 4와 8의 공배수: ☐ , ☐ ……
└ 4와 8의 최소공배수: ☐

7

7의 배수: 7, 14, 21, 28, 35, 42 ……
14의 배수: 14, 28, 42, 56 ……

┌ 7과 14의 공배수: ☐ , ☐ ……
└ 7과 14의 최소공배수: ☐

3

6의 배수: 6, 12, 18, 24, 30, 36 ……
9의 배수: 9, 18, 27, 36, 45 ……

┌ 6과 9의 공배수: ☐ , ☐ ……
└ 6과 9의 최소공배수: ☐

8

9의 배수: 9, 18, 27, 36, 45, 54 ……
12의 배수: 12, 24, 36, 48, 60, 72 ……

┌ 9와 12의 공배수: ☐ , 72 ……
└ 9와 12의 최소공배수: ☐

4

4의 배수: 4, 8, 12, 16, 20, 24, 28 ……
6의 배수: 6, 12, 18, 24, 30 ……

┌ 4와 6의 공배수: ☐ , ☐ ……
└ 4와 6의 최소공배수: ☐

9

5의 배수: 5, 10, 15, 20, 25, 30, 35 ……
10의 배수: 10, 20, 30 ……

┌ 5와 10의 공배수: ☐ , ☐ ……
└ 5와 10의 최소공배수: ☐

5

8의 배수: 8, 16, 24, 32, 40, 48 ……
12의 배수: 12, 24, 36, 48, 60 ……

┌ 8과 12의 공배수: ☐ , ☐ ……
└ 8과 12의 최소공배수: ☐

10

9의 배수: 9, 18, 27, 36, 45, 54 ……
15의 배수: 15, 30, 45, 60, 75, 90 ……

┌ 9와 15의 공배수: ☐ , 90 ……
└ 9와 15의 최소공배수: ☐

☀ 두 수의 배수를 각각 가장 작은 수부터 차례로 5개씩 구하고, 공배수와 최소공배수를 구하시오.

(단, 공배수는 가장 작은 수부터 차례로 2개만 구합니다.)

최소공배수는 공배수 중에서 가장 작은 수를 말해.

1 10, 15

10의 배수: 10, 20, 30, 40, 50

15의 배수: 15, 30, 45, 60, 75

공배수:

최소공배수:

5 6, 15

6의 배수:

15의 배수:

공배수:

최소공배수:

2 6, 8

6의 배수:

8의 배수:

공배수:

최소공배수:

6 4, 5

4의 배수:

5의 배수:

공배수:

최소공배수:

3 8, 10

8의 배수:

10의 배수:

공배수:

최소공배수:

7 3, 6

3의 배수:

6의 배수:

공배수:

최소공배수:

4 3, 9

3의 배수:

9의 배수:

공배수:

최소공배수:

8 2, 5

2의 배수:

5의 배수:

공배수:

최소공배수:

2 약수와 배수

☀ 두 수 ㉮와 ㉯의 최소공배수를 구하시오.

[1~7]

1
㉮ $= 2 \times 9$
㉯ $= 2 \times 2 \times 9$

공통으로 들어 있는 수는 한 번만 곱해야 해.

⇨ 최소공배수:
$2 \times \boxed{9} \times \boxed{2} = \boxed{36}$

2
㉮ $= 7 \times 4$
㉯ $= 8 \times 4$

⇨ 최소공배수: $4 \times \boxed{} \times \boxed{} = \boxed{}$

3
㉮ $= 5 \times 7$
㉯ $= 3 \times 5$

⇨ 최소공배수: $5 \times \boxed{} \times \boxed{} = \boxed{}$

4
㉮ $= 2 \times 3 \times 3$
㉯ $= 2 \times 3 \times 7$

⇨ 최소공배수: $2 \times 3 \times \boxed{} \times \boxed{} = \boxed{}$

5
㉮ $= 4 \times 4 \times 5$
㉯ $= 3 \times 4 \times 5$

⇨ 최소공배수: $4 \times 5 \times \boxed{} \times \boxed{} = \boxed{}$

6
㉮ $= 2 \times 2 \times 3 \times 5$
㉯ $= 2 \times 3 \times 3 \times 5$

⇨ 최소공배수:
$2 \times \boxed{} \times \boxed{} \times 2 \times \boxed{} = \boxed{}$

7
㉮ $= 3 \times 8$
㉯ $= 3 \times 3 \times 8$

⇨ 최소공배수: $\boxed{} \times \boxed{} \times 3 = \boxed{}$

☀ □ 안에 1보다 큰 알맞은 수를 써넣으시오.

[8~13]

8
$8 = \boxed{4} \times 2$
$20 = \boxed{4} \times 5$

⇨ 최소공배수: $\boxed{4} \times 2 \times \boxed{5} = \boxed{40}$

9
$15 = \boxed{} \times 5$
$21 = \boxed{} \times 7$

⇨ 최소공배수: $\boxed{} \times 5 \times 7 = \boxed{}$

10
$16 = 4 \times \boxed{}$
$28 = 4 \times \boxed{}$

⇨ 최소공배수: $4 \times \boxed{} \times \boxed{} = \boxed{}$

11
$42 = \boxed{} \times \boxed{} \times 7$
$12 = \boxed{} \times \boxed{} \times 3$

⇨ 최소공배수: $\boxed{} \times \boxed{} \times 7 \times 2 = \boxed{}$

12
$4 = \boxed{} \times 2$
$8 = \boxed{} \times \boxed{} \times 2$

⇨ 최소공배수: $\boxed{} \times \boxed{} \times \boxed{} = \boxed{}$

13
$12 = 2 \times \boxed{} \times \boxed{}$
$18 = \boxed{} \times \boxed{} \times 3$

⇨ 최소공배수:
$\boxed{} \times \boxed{} \times \boxed{} \times \boxed{} = \boxed{}$

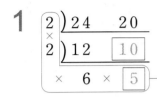

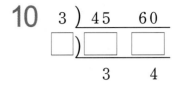

☀ □ 안에 알맞은 수를 써넣으시오.

1

```
2 ) 24    20
2 ) 12    10
    × 6  × 5
```

말풍선: 두 수를 두 수의 공약수로 나누어서 구해.

⇨ 최소공배수: $2 \times 2 \times 6 \times 5 =$ 120

$2 \times 2 \times 6 \times 5 = 120$

2

```
3 ) 9    12
   □    □
```

⇨ 최소공배수: □

3

```
6 ) 18    30
   □    □
```

⇨ 최소공배수: □

4

```
4 ) 36    40
   □    □
```

⇨ 최소공배수: □

5

```
5 ) 5    25
   □    □
```

⇨ 최소공배수: □

6

```
7 ) 14    28
□ )    2    □
       □    □
```

⇨ 최소공배수: □

7

```
10 ) 60    90
 □ )  □    9
      □    □
```

⇨ 최소공배수: □

8

```
4 ) 56    40
□ ) □    10
    □    □
```

⇨ 최소공배수: □

9

```
6 ) 42    48
   □    □
```

⇨ 최소공배수: □

10

```
3 ) 45    60
□ ) □    □
    3    4
```

⇨ 최소공배수: □

11

```
5 ) 50    75
□ ) □    □
    □    □
```

⇨ 최소공배수: □

12

```
2 ) 20    16
□ ) □    □
    □    □
```

⇨ 최소공배수: □

13

```
2 ) 68    12
□ ) 34    □
    □    □
```

⇨ 최소공배수: □

14

```
□ ) 121    99
    □    □
```

⇨ 최소공배수: □

2
약수와 배수

☀ 두 수의 최소공배수를 구하시오.

1

예 9$\overline{)63 \quad 36}$
　　　7　　4

공약수와 공통이
아닌 나머지 두 수를
모두 곱해.

최소공배수 (　　252　　)

$9 \times 7 \times 4 = 252$

6

$\overline{)120 \quad 135}$

최소공배수 (　　　　)

2

$\overline{)28 \quad 40}$

최소공배수 (　　　　)

7

$\overline{)28 \quad 56}$

최소공배수 (　　　　)

3

$\overline{)30 \quad 48}$

최소공배수 (　　　　)

8

$\overline{)27 \quad 81}$

최소공배수 (　　　　)

4

$\overline{)36 \quad 44}$

최소공배수 (　　　　)

9

$\overline{)24 \quad 16}$

최소공배수 (　　　　)

5

$\overline{)42 \quad 54}$

최소공배수 (　　　　)

10

$\overline{)21 \quad 42}$

최소공배수 (　　　　)

11

$)9\quad36$

최소공배수 (   )

16

$)28\quad42$

최소공배수 (   )

12

$)18\quad42$

최소공배수 (   )

17

$)48\quad40$

최소공배수 (   )

13

$)76\quad20$

최소공배수 (   )

18

$)18\quad54$

최소공배수 (   )

14

$)60\quad54$

최소공배수 (   )

19

$)105\quad140$

최소공배수 (   )

15

$)36\quad27$

최소공배수 (   )

20

$)76\quad92$

최소공배수 (   )

2

약수와 배수

1 귤 8개와 사과 12개를 최대한 많은 학생에게 남김없이 똑같이 나누어 주려고 합니다. 최대 몇 명의 학생에게 나누어 줄 수 있습니까?

(4명   )

4)8 12   ⇨ 8과 12의 최대공약수는 4이므로 4명에게 귤 2개와 사과 3개씩을 나누어 줄 수 있습니다.
　2   3

2 연필 32자루와 지우개 28개를 최대한 많은 친구에게 남김없이 똑같이 나누어 주려고 합니다. 최대 몇 명의 친구에게 나누어 줄 수 있습니까?

(   )

3 빵 15개와 우유 20개를 최대한 많은 친구에게 남김없이 똑같이 나누어 주려고 합니다. 최대 몇 명의 친구에게 나누어 줄 수 있습니까?

(   )

4 구슬 36개와 딱지 6개를 최대한 많은 친구에게 남김없이 똑같이 나누어 주려고 합니다. 최대 몇 명의 친구에게 나누어 줄 수 있습니까?

(   )

5 색종이 35장, 색 도화지 49장을 최대한 많은 사람에게 남김없이 똑같이 나누어 주려고 합니다. 최대 몇 명에게 나누어 줄 수 있습니까?

(   )

6 야구공 81개와 테니스공 54개를 최대한 많은 모둠에게 남김없이 똑같이 나누어 주려고 합니다. 최대 몇 모둠에게 나누어 줄 수 있습니까?

(   )

1 기계 ㉮와 ㉯가 있습니다. 기계 ㉮는 6일마다, ㉯는 15일마다 정기점검을 합니다. 오늘 두 기계를 동시에 점검한다면 다음에 두 기계를 동시에 점검하는 날은 며칠 후입니까?

(　　　 30일 후 　　　)

3)6　15 ⇨ 6과 15의 최소공배수는 3×2×5＝30이므로 30일 후에 두 기계를 동시에 점검하게 됩니다.
　2　5

2 연아와 서윤이는 운동장을 일정한 속력으로 걷고 있습니다. 연아는 3분마다, 서윤이는 6분마다 운동장을 한 바퀴 돕니다. 두 사람이 출발점에서 같은 방향으로 동시에 출발할 때, 출발 후 몇 분 후에 다시 만나게 됩니까?

(　　　　　　　)

3 지선이와 미경이는 3월 1일부터 피아노 연습을 시작했습니다. 지선이는 2일마다, 미경이는 3일마다 한 번씩 연습을 한다면 3월 1일 이후에 처음으로 같이 연습하는 날은 몇 월 며칠입니까?

(　　　　　　　)

4 직선 위에 시작점을 같이하여 빨간색 점은 9 cm 간격으로, 파란색 점은 6 cm 간격으로 찍어 나갑니다. 두 색깔의 점이 시작점 이후로 처음으로 같이 찍히는 곳은 시작점으로부터 몇 cm 떨어진 곳입니까?

(　　　　　　　)

5 가로가 6 cm, 세로가 8 cm인 직사각형 모양의 색종이를 겹치지 않게 늘어놓아 가장 작은 정사각형 모양을 만들었습니다. 만든 정사각형의 한 변의 길이는 몇 cm입니까?

(　　　　　　　)

6 다음과 같은 규칙에 따라 ㉠과 ㉡에 각각 바둑돌을 30개씩 놓을 때, 같은 자리에 흰 바둑돌이 놓이는 경우는 모두 몇 번입니까?

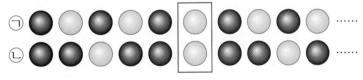

(　　　　　　　)

1 20의 약수가 <u>아닌</u> 것은 어느 것입니까? ·························· (   )

     ① 1   ② 4   ③ 5   ④ 10   ⑤ 15

· 20을 나누어떨어지게 하는 수를 20의 약수라고 합니다.

2 15보다 큰 3의 배수를 모두 찾아 ◯표 하시오.

| 21 | 42 | 50 | 62 | 78 |

3을 1배, 2배, 3배 …… 한 수를 3의 배수라고 해.

3 두 수가 약수와 배수의 관계가 <u>아닌</u> 것은 어느 것입니까? (   )

     ① | 2 | 16 | ② | 5 | 45 | ③ | 7 | 84 |

     ④ | 9 | 28 | ⑤ | 11 | 33 |

· 작은 수에 어떤 자연수를 곱해 큰 수가 되면 두 수는 약수와 배수의 관계입니다.

4 20과 36의 공약수는 어느 것입니까? ·························· (   )

     ① 3   ② 4   ③ 5   ④ 6   ⑤ 7

· 20과 36의 공통된 약수를 20과 36의 공약수라고 합니다.

5 어떤 두 수의 최대공약수가 46일 때 두 수의 공약수를 모두 써 보시오.

     (   )

· 최대공약수가 46인 두 수의 공약수는 최대공약수인 46의 약수와 같습니다.

✹ ☐ 안에 알맞은 수를 써넣으시오. [6~7]

6
$$63 = 7 \times \boxed{}$$
$$90 = \boxed{} \times 5 \times 9$$

⇨ 최대공약수: ☐

⇨ 최소공배수: ☐

7
$$56 = 2 \times \boxed{} \times 7$$
$$70 = 2 \times \boxed{} \times 7$$

⇨ 최대공약수: ☐

⇨ 최소공배수: ☐

수가 커서 두 수의 곱으로 계산하기 어려울 때는 여러 수의 곱을 이용할 수 있어.

✹ 두 수의 최대공약수와 최소공배수를 구하시오. [8~9]

8

$$\boxed{}\,)\,18 \quad 24$$

최대공약수 (   )

최소공배수 (   )

9

$$\boxed{}\,)\,12 \quad 54$$

최대공약수 (   )

최소공배수 (   )

• 두 수를 1 이외의 공약수가 없을 때까지 나눕니다.

10 키위 84개, 감 96개를 최대한 많은 친구에게 남김없이 똑같이 나누어 주려고 합니다. 최대 몇 명의 친구에게 나누어 줄 수 있습니까?

(   )

• 남김없이 나눠줘야 하므로 두 수가 공통으로 나눠지는 수여야 합니다.

11 가로가 9 cm, 세로가 15 cm인 직사각형 모양의 색종이를 겹치지 않게 늘어놓아 가장 작은 정사각형 모양을 만들었습니다. 만든 정사각형의 한 변의 길이는 몇 cm입니까?

(   )

• 만든 정사각형의 한 변은 색종이의 가로, 세로보다 깁니다.

QR 코드를 찍어 보세요.

문제 생성기 새로운 문제를 계속 풀 수 있어요.

3 규칙과 대응

제3화 부디 살아와라.

• 자전거의 수는 바퀴의 수의 반입니다.
• 바퀴의 수는 자전거의 수의 2배입니다.

이미 배운 내용	이번에 배울 내용	앞으로 배울 내용
[4-1 규칙 찾기] • 수 배열표에서 규칙 찾기 • 도형의 배열에서 규칙 찾기 • 계산식에서 규칙 찾기	• 대응 관계 찾기 • 대응 관계를 식으로 나타내기 • 생활 속에서 대응 관계 찾아 식으로 나타내기	**[6-1 비와 비율]** • 두 양 사이의 관계를 비로 나타내기

잘 봐.

자전거의 수를 □, 바퀴의 수를 ○라고 할 때,
두 양 사이의 대응 관계를 식으로 나타내면
□=○÷2 또는 ○=□×2입니다.

배운 것 확인하기

1 수 배열표에서 규칙 찾기

☀ 규칙적인 수의 배열에서 ■, ●에 알맞은 수를 구하시오.

1

1100	1200	■	1400	1500	●

■ = 1300 , ● = 1600

1100부터 시작하여 오른쪽으로 100씩 커집니다.

수가 얼마만큼 커졌는지, 작아졌는지 규칙을 찾아봐.

2

6250	6150	6050	■	5850	●

■ = ☐ , ● = ☐

3

5505	■	5605	5655	5705	●

■ = ☐ , ● = ☐

2 도형의 배열에서 규칙 찾기

☀ 도형의 배열을 보고 다섯째에 알맞은 도형을 그려 보시오.

1

첫째　　둘째　　　셋째　　　넷째　　　　다섯째

2

첫째　　둘째　　　셋째　　　넷째　　　　다섯째

☀ 규칙적인 계산식을 보고 물음에 답하시오.

1

순서	계산식
첫째	$2+4=6$
둘째	$2+4+6=12$
셋째	$2+4+6+8=20$
넷째	$2+4+6+8+10=30$
다섯째	

(1) 다섯째 빈칸에 알맞은 계산식을 쓰시오.

(2) 이 규칙으로 값이 56이 되는 계산식을 쓰시오.

_____

3

순서	계산식
첫째	$37 \times 3 = 111$
둘째	$37 \times 6 = 222$
셋째	$37 \times 9 = 333$
넷째	$37 \times 12 = 444$
다섯째	

(1) 다섯째 빈칸에 알맞은 계산식을 쓰시오.

(2) 이 규칙으로 값이 888이 되는 계산식을 쓰시오.

_____

2

순서	계산식
첫째	$1111 \div 11 = 101$
둘째	$2222 \div 11 = 202$
셋째	$3333 \div 11 = 303$
넷째	$4444 \div 11 = 404$
다섯째	

(1) 다섯째 빈칸에 알맞은 계산식을 쓰시오.

(2) 이 규칙으로 값이 707이 되는 계산식을 쓰시오.

_____

4

순서	계산식
첫째	$650 - 110 = 540$
둘째	$660 - 110 = 550$
셋째	$670 - 110 = 560$
넷째	$680 - 110 = 570$
다섯째	

(1) 다섯째 빈칸에 알맞은 계산식을 쓰시오.

(2) 이 규칙으로 값이 600이 되는 계산식을 쓰시오.

_____

1 삼각형과 사각형의 배열을 보고 물음에 답하시오.

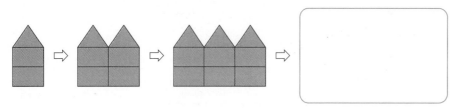

(1) 위의 빈 곳에 다음에 이어질 알맞은 모양을 그려 보시오.

(2) 삼각형의 수와 사각형의 수 사이의 관계를 생각하며 □ 안에 알맞은 수를 써넣으시오.

> • 삼각형이 5개일 때 필요한 사각형의 수는 [10]개입니다.
>
> • 삼각형이 10개일 때 필요한 사각형의 수는 [20]개입니다.

(3) 삼각형의 수와 사각형의 수 사이의 대응 관계를 써 보시오.

예) 사각형의 수는 삼각형의 수의 2배입니다.

_____

2 원과 사각형의 배열을 보고 물음에 답하시오.

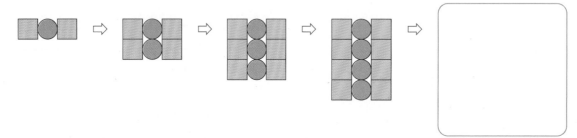

(1) 위의 빈 곳에 다음에 이어질 알맞은 모양을 그려 보시오.

(2) 원의 수와 사각형의 수 사이의 관계를 생각하며 □ 안에 알맞은 수를 써넣으시오.

> • 원이 5개일 때 필요한 사각형의 수는 [　]개입니다.
>
> • 원이 10개일 때 필요한 사각형의 수는 [　]개입니다.

(3) 원의 수와 사각형의 수 사이의 대응 관계를 써 보시오.

_____

3 다음을 보고 물음에 답하시오.

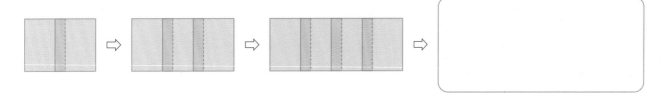

(1) 위의 빈 곳에 다음에 이어질 알맞은 모양을 그려 보시오.

(2) 색종이의 수와 겹치는 부분의 수 사이의 관계를 생각하며 □ 안에 알맞은 수를 써넣으시오.

> • 색종이가 5장일 때 겹치는 부분의 수는 □ 곳입니다.
>
> • 색종이가 10장일 때 겹치는 부분의 수는 □ 곳입니다.

(3) 색종이의 수와 겹치는 부분의 수 사이의 대응 관계를 써 보시오.

⋯⋯⋯

4 다음을 보고 물음에 답하시오.

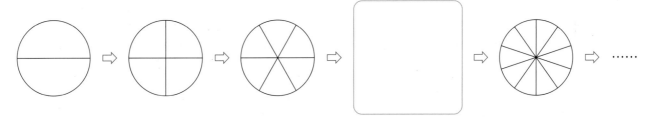

(1) 위의 빈 곳에 알맞은 모양을 그려 보시오.

(2) 선분의 수와 조각의 수 사이의 관계를 생각하며 □ 안에 알맞은 수를 써넣으시오.

> • 지름을 나타내는 선분이 5개일 때 원은 □ 조각으로 나누어집니다.
>
> • 지름을 나타내는 선분이 10개일 때 원은 □ 조각으로 나누어집니다.

(3) 선분의 수와 조각의 수 사이의 대응 관계를 써 보시오.

⋯⋯⋯

☀ 두 양 사이의 대응 관계를 찾아 표를 완성하고 대응 관계를 써 보시오.

1

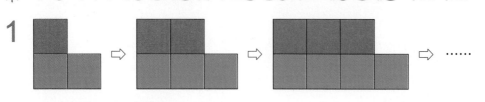

빨간색 사각판의 수는 1, 2, 3 ……으로 1씩, 파란색 사각판의 수는 2, 3, 4 ……로 1씩 늘어나.

빨간색 사각판의 수(개)	1	2	3	4	5	……
파란색 사각판의 수(개)	2	3	4	5	6	……

◉예◉ 파란색 사각판의 수에서 1을 빼면 빨간색 사각판의 수와 같습니다.

파란색 사각판은 빨간색 사각판보다 1개 더 많습니다.

2

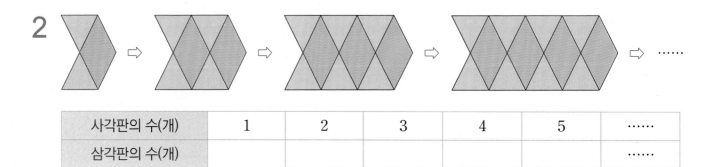

사각판의 수(개)	1	2	3	4	5	……
삼각판의 수(개)						……

3

의자의 수(개)	1	2	3	4	5	……
팔걸이의 수(개)	2					……

4

> 세발자전거에는 바퀴가 3개씩 있습니다.

세발자전거의 수(대)	1	2	3	4	5	……
바퀴의 수(개)						……

5

     ……

손의 수(개)	2	10	6		3	……
손가락의 수(개)		50	30	40		……

6

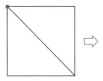 ⇨  ⇨  ⇨ 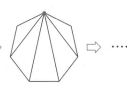 ⇨ ……

다각형의 꼭짓점의 수(개)	5		4	10	9	……
나누어지는 삼각형의 수(개)	3	5		8	7	……

7

> 1분 동안 11 L의 물이 나오는 샤워기가 있습니다.

샤워기를 사용한 시간(분)	4		10	8	3	……
나온 물의 양(L)	44	22	110	88		……

8

> 자른 당근 도막 수와 당근을 자른 횟수 사이의 대응 관계

자른 당근 도막 수(개)	5		2	10	9	……
당근을 자른 횟수(번)	4	6		9	8	……

☀ ◇와 △ 사이의 대응 관계를 2가지의 식으로 나타내어 보시오.

◇가 1, 2, 3 ……일 때
△는 4, 8, 12 ……야.

1

◇	1	2	3	4	……
△	4	8	12	16	……

식1　　◇=△÷4　　　　식2　　△=◇×4

2

◇	3	4	5	6	7	……
△	9	10	11	12	13	……

식1　　◇=

식2　　△=

6

◇	2	5	9	6	10	……
△	3	6	10	7	11	……

식1　　◇=

식2　　△=

3

◇	2	4	6	8	10	……
△	10	20	30	40	50	……

식1　　◇=

식2　　△=

7

◇	10	5	20	9	18	……
△	7	2	17	6	15	……

식1　　◇=

식2　　△=

4

◇	7	14	21	28	35	……
△	1	2	3	4	5	……

식1　　◇=

식2　　△=

8

◇	35	50	10	5	25	……
△	7	10	2	1	5	……

식1　　◇=

식2　　△=

5

◇	1	2	3	4	5	……
△	13	12	11	10	9	……

식1　　◇=

식2　　△=

9

◇	1	9	5	7	15	……
△	2	18	10	14	30	……

식1　　◇=

식2　　△=

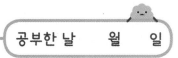

☀ ■와 ▲ 사이의 대응 관계를 식으로 나타내어 보시오.

1 한 모둠에 5명씩 앉아 있습니다. 모둠의 수를 ■, 학생의 수를 ▲라고 할 때
대응 관계를 식으로 나타내면

$$■ \times 5 = ▲ (또는 ▲ \div 5 = ■)$$ 입니다.

5명이 한 모둠이므로 모둠의 수에 5를 곱하면 학생의 수가 됩니다.

2 문어 다리의 수는 8개입니다. 문어의 수를 ■, 문어 다리의 수를 ▲라고 할 때 대응 관계를 식으로
나타내면 ＿＿＿＿＿＿＿＿＿＿＿＿＿＿＿＿＿＿＿＿ 입니다.

3 동생의 나이는 내 나이보다 2살 적습니다. 동생의 나이를 ■, 내 나이를 ▲라고 할 때 대응 관계
를 식으로 나타내면 ＿＿＿＿＿＿＿＿＿＿＿＿＿＿＿＿ 입니다.

4 직사각형의 가로는 세로의 3배입니다. 가로를 ■, 세로를 ▲라고 할 때 대응 관계를 식으로 나타내
면 ＿＿＿＿＿＿＿＿＿＿＿＿＿＿＿＿＿＿＿＿＿＿ 입니다.

5 직사각형의 가로는 세로보다 12 cm 더 깁니다. 가로를 ■, 세로를 ▲라고 할 때 대응 관계를 식으
로 나타내면 ＿＿＿＿＿＿＿＿＿＿＿＿＿＿＿＿＿＿ 입니다.

6 달걀 한 판은 달걀 30개입니다. 달걀판의 수를 ■, 달걀의 수를 ▲라고 할 때 대응 관계를 식으로
나타내면 ＿＿＿＿＿＿＿＿＿＿＿＿＿＿＿＿＿＿＿＿ 입니다.

7 1분 동안 10 L의 물이 나오는 샤워기가 있습니다. 샤워기를 사용한 시간을 ■, 나온 물의 양을 ▲
라고 할 때 대응 관계를 식으로 나타내면

＿＿＿＿＿＿＿＿＿＿＿＿＿＿＿＿＿＿＿＿ 입니다.

☀ 대응 관계를 나타낸 식을 보고 식에 알맞은 상황을 만들어 보시오.

1   $\blacksquare + 7 = \blacktriangle$ ⇨   ㉠ 누나의 나이(▲)는 내 나이(■)보다 7살 더 많습니다.

▲는 ■보다 7만큼 더 커.

2   $\bullet \times 3 = \bigstar$ ⇨

3   $\blacktriangledown \div 10 = \heartsuit$ ⇨

4   $\blacksquare \times 5 = \blacktriangle$ ⇨

5   $\blacksquare = \blacktriangle$ ⇨

6   $\blacksquare - 2 = \blacktriangle$ ⇨

7   $9 - \bullet = \blacktriangle$ ⇨

☀ 그림을 보고 물음에 답하시오.

1 서로 관계가 있는 두 양을 찾고 대응 관계를 써 보시오.

서로 관계가 있는 두 양		대응 관계
① 닭의 수	예 알의 수	예 닭의 수에 3배를 하면 알의 수와 같습니다.
②	닭의 다리의 수	
③ 강아지의 수		
④ 강아지의 다리의 수		

2 1에서 찾은 대응 관계를 식으로 나타내어 보시오.

①	닭의 수를 □, 　예 알의 수　을/를 ▽라고 하면 대응 관계는 예 □×3=▽(또는 ▽÷3=□) 입니다.
②	을/를 ☆, 닭의 다리의 수를 ◇라고 하면 대응 관계는 　　　　입니다.
③	강아지의 수를 ○, 　　　　을/를 △라고 하면 대응 관계는 　　　　입니다.
④	강아지의 다리의 수를 ◇, 　　　　을/를 □라고 하면 대응 관계는 　　　　입니다.

☀ 도형의 배열을 보고 물음에 답하시오. [1~5]

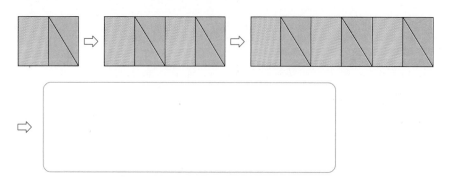

1 위의 빈 곳에 다음에 이어질 알맞은 모양을 그려 보시오.

· 늘어나는 도형의 수를 구해
봅니다.

2 삼각형의 수와 사각형의 수 사이의 관계를 생각하며 □ 안에 알맞은 수를 써넣으시오.

> · 사각형이 5개일 때 필요한 삼각형의 수는 □개입니다.
> · 사각형이 10개일 때 필요한 삼각형의 수는 □개입니다.

사각형이 1개씩 늘어날 때마다 삼각형은 몇 개씩 늘어나는지 알아 봐.

3 삼각형이 100개일 때 사각형은 몇 개 필요합니까?

(   )

· 삼각형 2개에 사각형은 1개
필요합니다.

4 삼각형의 수와 사각형의 수 사이의 대응 관계를 써 보시오.

· 서로 관계있는 두 양 '삼각형
의 수'와 '사각형의 수'를 모
두 써야 함에 주의합니다.

5 삼각형의 수를 △, 사각형의 수를 □라고 할 때 대응 관계를 식으로 나타내어 보시오.

(   )

· 서로 관계있는 두 양 △와
□를 모두 써야 함에 주의합
니다.

☀ 그림을 보고 물음에 답하시오. [6~7]

철봉 대 →

← 철봉 기둥

6 서로 관계가 있는 두 양을 보고 대응 관계를 써 보시오.

서로 관계가 있는 두 양	대응 관계
철봉 대의 수	
철봉 기둥의 수	

• 철봉 대의 수와 철봉 기둥의 수를 비교해 봅니다.

7 □ 안에 알맞게 써넣으시오.

철봉 대의 수를 ▽, [   ]을/를 ◎라고 할 때
대응 관계를 식으로 나타내면 [   ]
입니다.

• 철봉 대의 수를 ○, 철봉 기둥의 수를 ☆이라고 나타낼 수도 있습니다.

8 합죽선은 얇게 깎은 대를 맞붙여서 살을 만들고 종이 또는 헝겊을 발라서 접었다 폈다 할 수 있게 만든 부채를 말합니다. 합죽선의 수와 합죽선 깃대의 수 사이의 대응 관계를 표를 이용하여 찾고 식으로 나타내어 보시오.

합죽선의 수와 합죽선 깃대의 수가 몇 배 차이 나는지 알아 봐.

합죽선의 수(개)	2		6	10	9	11	……
합죽선 깃대의 수(개)	60	240	180	300			……

합죽선의 수를 ☆, 합죽선 깃대의 수를 ◎라고 하면 대응 관계는

_____ 입니다.

3

규칙과 대응

4 약분과 통분

제4화 펭귄 왕자를 위한 요리

왜 저렇게 우울해 보이지?

또 고향 생각이 나서 그런 것 같아.

기분도 풀어줄 겸 좋아하는 생선요리라도 해줘야겠다.

정말?

귀도 밝아…….

자~ 펭귄 왕자를 위한 엄청 큰 꽁치구이~

왕~

여기에 각자 덜어서…….

으엥! 뭐, 뭐야?

히히~ 너무 먹고 싶어서.

나보다 펭귄 왕자가 더 많이 먹었어.

아니거든. 난 $\frac{3}{9}$ 밖에 안 먹었거든.

난 겨우 $\frac{1}{3}$ 먹었어.

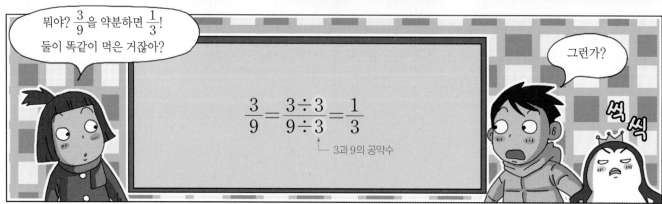

뭐야? $\frac{3}{9}$ 을 약분하면 $\frac{1}{3}$! 둘이 똑같이 먹은 거잖아?

$$\frac{3}{9} = \frac{3 \div 3}{9 \div 3} = \frac{1}{3}$$

└─ 3과 9의 공약수

그런가?

씩씩

이미 배운 내용	이번에 배울 내용	앞으로 배울 내용
[3-2 분수] • 분모가 같은 분수의 크기 비교하기 [5-1 약수와 배수] • 공약수와 최대공약수 구하기 • 공배수와 최소공배수 구하기	• 크기가 같은 분수 알아보기 • 약분, 기약분수로 나타내기 • 통분하기 • 분수의 크기 비교하기 • 분수와 소수의 크기 비교하기	[5-1 분수의 덧셈과 뺄셈] • 분수의 덧셈하기 • 분수의 뺄셈하기

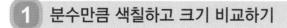

배운 것 확인하기

1 분수만큼 색칠하고 크기 비교하기

☀ 분수만큼 색칠하고 크기를 비교하여 ○ 안에 >, <를 알맞게 써넣으시오.

(예)

1

$$\frac{1}{3} \quad < \quad \frac{2}{3}$$

3칸 중의 1칸을 색칠합니다.

3칸 중의 2칸을 색칠합니다.

색칠한 부분이 넓은 쪽이 더 큰 분수야.

2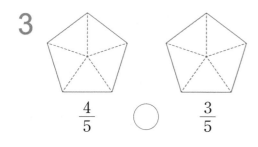

$$\frac{2}{4} \quad ○ \quad \frac{3}{4}$$

3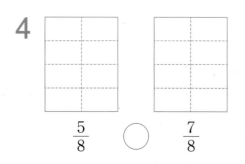

$$\frac{4}{5} \quad ○ \quad \frac{3}{5}$$

4

$$\frac{5}{8} \quad ○ \quad \frac{7}{8}$$

2 두 분수의 크기 비교하기

☀ 두 분수의 크기를 비교하여 ○ 안에 >, =, <를 알맞게 써넣으시오.

1 $\overset{3<4}{\frac{3}{5}} \quad < \quad \frac{4}{5}$

분모가 같은 분수의 크기는 분자가 큰 수가 더 큰 분수야.

2 $\frac{7}{8} \quad ○ \quad \frac{5}{8}$ **9** $\frac{17}{21} \quad ○ \quad \frac{12}{21}$

3 $\frac{5}{9} \quad ○ \quad \frac{8}{9}$ **10** $\frac{8}{7} \quad ○ \quad 1\frac{1}{7}$

4 $\frac{10}{11} \quad ○ \quad \frac{7}{11}$ **11** $\frac{25}{9} \quad ○ \quad 3\frac{1}{9}$

5 $\frac{8}{13} \quad ○ \quad \frac{11}{13}$ **12** $1\frac{7}{8} \quad ○ \quad 2\frac{3}{8}$

6 $\frac{6}{14} \quad ○ \quad \frac{9}{14}$ **13** $4\frac{11}{12} \quad ○ \quad 4\frac{7}{12}$

7 $\frac{13}{16} \quad ○ \quad \frac{9}{16}$ **14** $5\frac{9}{14} \quad ○ \quad 5\frac{5}{14}$

8 $\frac{12}{17} \quad ○ \quad \frac{15}{17}$ **15** $2\frac{5}{15} \quad ○ \quad 2\frac{10}{15}$

3 공약수, 최대공약수 구하기

☀ 두 수의 공약수와 최대공약수를 구하시오.

1 | 16 24 |

1은 모든 수의 공약수야.

- 16과 24의 공약수
  (1, 2, 4, 8)
- 16과 24의 최대공약수
  (8)

2 | 27 45 |

- 27과 45의 공약수
  ( )
- 27과 45의 최대공약수
  ( )

3 | 36 52 |

- 36과 52의 공약수
  ( )
- 36과 52의 최대공약수
  ( )

4 | 75 90 |

- 75와 90의 공약수
  ( )
- 75와 90의 최대공약수
  ( )

4 공배수, 최소공배수 구하기

☀ 두 수의 공배수와 최소공배수를 구하시오.
(단, 공배수는 가장 작은 수부터 차례로 3개만 구하시오.)

1 | 6 9 |

최소공배수는 공배수 중에서 가장 작은 수야.

- 6과 9의 공배수
  (18, 36, 54)
- 6과 9의 최소공배수
  (18)

2 | 12 18 |

- 12와 18의 공배수
  ( )
- 12와 18의 최소공배수
  ( )

3 | 16 20 |

- 16과 20의 공배수
  ( )
- 16과 20의 최소공배수
  ( )

4 | 24 30 |

- 24와 30의 공배수
  ( )
- 24와 30의 최소공배수
  ( )

☀ 분수만큼 색칠하고 ☐ 안에 크기가 같은 분수를 써넣으시오.

예 **1**

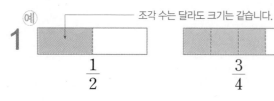

조각 수는 달라도 크기는 같습니다.

$\dfrac{1}{2}$ $\dfrac{3}{4}$ $\dfrac{4}{8}$

색칠된 부분의 크기가 같으면 크기가 같은 분수야. 색칠된 부분의 크기를 비교해 봐.

크기가 같은 분수: $\boxed{\dfrac{1}{2}}$, $\boxed{\dfrac{4}{8}}$

2

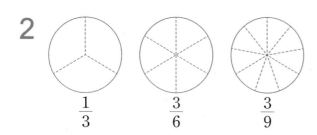

$\dfrac{1}{3}$ $\dfrac{3}{6}$ $\dfrac{3}{9}$

크기가 같은 분수: ☐ , ☐

5

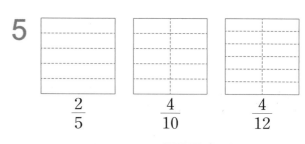

$\dfrac{2}{5}$ $\dfrac{4}{10}$ $\dfrac{4}{12}$

크기가 같은 분수: ☐ , ☐

3

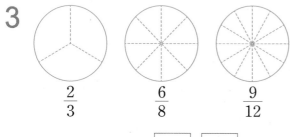

$\dfrac{2}{3}$ $\dfrac{6}{8}$ $\dfrac{9}{12}$

크기가 같은 분수: ☐ , ☐

6

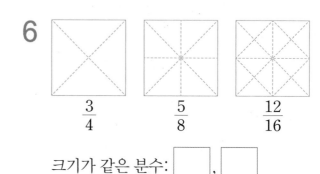

$\dfrac{3}{4}$ $\dfrac{5}{8}$ $\dfrac{12}{16}$

크기가 같은 분수: ☐ , ☐

4

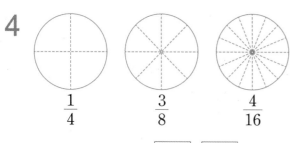

$\dfrac{1}{4}$ $\dfrac{3}{8}$ $\dfrac{4}{16}$

크기가 같은 분수: ☐ , ☐

7

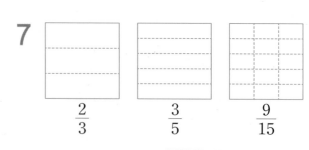

$\dfrac{2}{3}$ $\dfrac{3}{5}$ $\dfrac{9}{15}$

크기가 같은 분수: ☐ , ☐

2 크기가 같은 분수 만들기(1)

☀ □ 안에 알맞은 수를 써넣으시오. [1~8]

크기가 같은 분수는 분모가 4배가
되면 분자도 4배가 됩니다.

1 $\dfrac{5}{7} = \dfrac{5 \times \boxed{4}}{7 \times 4} = \dfrac{\boxed{20}}{\boxed{28}}$

분수의 분모와 분자에 0이
아닌 같은 수를 곱하면
크기가 같은 분수가 돼.

5 $\dfrac{4}{5} = \dfrac{12}{15}$ （×□ 위, ×□ 아래）

2 $\dfrac{7}{9} = \dfrac{7 \times \boxed{}}{9 \times 5} = \dfrac{\boxed{}}{\boxed{}}$

6 $\dfrac{5}{8} = \dfrac{\boxed{}}{\boxed{}}$ （×6 위, ×6 아래）

3 $\dfrac{3}{4} = \dfrac{3 \times 8}{4 \times \boxed{}} = \dfrac{\boxed{}}{\boxed{}}$

7 $\dfrac{7}{10} = \dfrac{28}{\boxed{}}$ （×□ 위, ×□ 아래）

4 $\dfrac{6}{11} = \dfrac{6 \times 7}{11 \times \boxed{}} = \dfrac{\boxed{}}{\boxed{}}$

8 $\dfrac{9}{14} = \dfrac{\boxed{}}{70}$ （×□ 위, ×□ 아래）

☀ 분모와 분자에 0이 아닌 같은 수를 곱하여 크기가 같은 분수를 분모가 작은 것부터 차례로 3개씩 쓰시오. [9~16]

9 $\boxed{\dfrac{2}{3}}$ ⇨ (   )

13 $\boxed{\dfrac{6}{7}}$ ⇨ (   )

10 $\boxed{\dfrac{5}{6}}$ ⇨ (   )

14 $\boxed{\dfrac{4}{9}}$ ⇨ (   )

11 $\boxed{\dfrac{2}{5}}$ ⇨ (   )

15 $\boxed{\dfrac{5}{12}}$ ⇨ (   )

12 $\boxed{\dfrac{3}{8}}$ ⇨ (   )

16 $\boxed{\dfrac{7}{15}}$ ⇨ (   )

4

약분과 통분

☀ □ 안에 알맞은 수를 써넣으시오. [1~8]

1 $\dfrac{5}{20} = \dfrac{5 \div 5}{20 \div \boxed{5}} = \dfrac{\boxed{1}}{\boxed{4}}$

크기가 같은 분수는 분자를 5로
나누면 분모도 5로 나눕니다.

분수의 분모와 분자를 0이
아닌 같은 수로 나누면
크기가 같은 분수가 돼.

2 $\dfrac{27}{36} = \dfrac{27 \div 9}{36 \div \boxed{}} = \dfrac{\boxed{}}{\boxed{}}$

3 $\dfrac{16}{24} = \dfrac{16 \div \boxed{}}{24 \div 8} = \dfrac{\boxed{}}{\boxed{}}$

4 $\dfrac{12}{42} = \dfrac{12 \div \boxed{}}{42 \div 6} = \dfrac{\boxed{}}{\boxed{}}$

5 $\dfrac{10}{18} = \dfrac{5}{9}$ $\div \boxed{}$ (위), $\div \boxed{}$ (아래)

6 $\dfrac{15}{24} = \dfrac{\boxed{}}{\boxed{}}$ $\div 3$ (위), $\div 3$ (아래)

7 $\dfrac{28}{40} = \dfrac{\boxed{}}{10}$ $\div \boxed{}$ (위), $\div \boxed{}$ (아래)

8 $\dfrac{35}{56} = \dfrac{5}{\boxed{}}$ $\div \boxed{}$ (위), $\div \boxed{}$ (아래)

☀ 분모와 분자를 0이 아닌 같은 수로 나누어 크기가 같은 분수를 3개씩 쓰시오. [9~16]

9 $\boxed{\dfrac{8}{32}}$ ⇨ (   )

10 $\boxed{\dfrac{18}{30}}$ ⇨ (   )

11 $\boxed{\dfrac{20}{50}}$ ⇨ (   )

12 $\boxed{\dfrac{32}{40}}$ ⇨ (   )

13 $\boxed{\dfrac{48}{60}}$ ⇨ (   )

14 $\boxed{\dfrac{30}{75}}$ ⇨ (   )

15 $\boxed{\dfrac{60}{90}}$ ⇨ (   )

16 $\boxed{\dfrac{36}{84}}$ ⇨ (   )

4 크기가 같은 분수 찾기

✹ 왼쪽 분수와 크기가 같은 분수를 모두 찾아 ◯표 하시오.

1 $\dfrac{3}{7}$ ⇨ $\dfrac{5}{14}$　$\boxed{\dfrac{9}{21}}$　$\dfrac{12}{18}$　$\dfrac{15}{28}$　$\boxed{\dfrac{18}{42}}$　$\dfrac{24}{49}$　$\dfrac{27}{56}$　$\boxed{\dfrac{27}{63}}$

$\dfrac{3}{7}=\dfrac{3\times3}{7\times3}=\dfrac{9}{21}, \dfrac{3}{7}=\dfrac{3\times6}{7\times6}=\dfrac{18}{42}, \dfrac{3}{7}=\dfrac{3\times9}{7\times9}=\dfrac{27}{63}$

분모와 분자에 0이 아닌 같은 수를 곱하거나 0이 아닌 같은 수로 나누어 봐.

2 $\dfrac{18}{54}$ ⇨ $\dfrac{1}{2}$　$\dfrac{1}{3}$　$\dfrac{3}{4}$　$\dfrac{2}{5}$　$\dfrac{3}{9}$　$\dfrac{8}{12}$　$\dfrac{5}{21}$　$\dfrac{9}{27}$

3 $\dfrac{5}{8}$ ⇨ $\dfrac{10}{12}$　$\dfrac{20}{16}$　$\dfrac{15}{24}$　$\dfrac{18}{32}$　$\dfrac{25}{40}$　$\dfrac{30}{42}$　$\dfrac{35}{56}$　$\dfrac{40}{72}$

4 $\dfrac{60}{84}$ ⇨ $\dfrac{5}{8}$　$\dfrac{7}{12}$　$\dfrac{10}{14}$　$\dfrac{12}{21}$　$\dfrac{15}{21}$　$\dfrac{16}{24}$　$\dfrac{20}{28}$　$\dfrac{6}{11}$

5 $\dfrac{7}{9}$ ⇨ $\dfrac{14}{18}$　$\dfrac{18}{27}$　$\dfrac{21}{32}$　$\dfrac{28}{36}$　$\dfrac{35}{40}$　$\dfrac{42}{54}$　$\dfrac{52}{72}$　$\dfrac{56}{81}$

6 $\dfrac{16}{72}$ ⇨ $\dfrac{5}{8}$　$\dfrac{2}{9}$　$\dfrac{4}{16}$　$\dfrac{4}{18}$　$\dfrac{5}{24}$　$\dfrac{12}{32}$　$\dfrac{8}{36}$　$\dfrac{8}{48}$

약분과 통분

☀ □ 안에 알맞은 수를 써넣으시오.

1 $\dfrac{9}{12} = \dfrac{9 \div 3}{12 \div 3} = \dfrac{\boxed{3}}{\boxed{4}}$

9와 12의 공약수: 3

약분하면 분모와 분자를 0이 아닌 같은 수로 나누는 거니까 크기가 같은 분수를 만드는 것과 같아.

9 $\dfrac{16}{64} = \dfrac{\boxed{}}{8}$

2 $\dfrac{6}{14} = \dfrac{6 \div \boxed{}}{14 \div \boxed{}} = \dfrac{3}{7}$

10 $\dfrac{18}{90} = \dfrac{6}{\boxed{}}$

3 $\dfrac{27}{45} = \dfrac{\boxed{} \div 9}{45 \div \boxed{}} = \dfrac{\boxed{}}{\boxed{}}$

11 $\dfrac{20}{32} = \dfrac{\boxed{}}{8}$

4 $\dfrac{30}{54} = \dfrac{30 \div \boxed{}}{\boxed{} \div 6} = \dfrac{\boxed{}}{\boxed{}}$

12 $\dfrac{36}{81} = \dfrac{4}{\boxed{}}$

5 $\dfrac{24}{84} = \dfrac{\boxed{} \div 12}{84 \div \boxed{}} = \dfrac{\boxed{}}{\boxed{}}$

13 $\dfrac{21}{49} = \dfrac{\boxed{}}{7}$

6 $\dfrac{39}{52} = \dfrac{39 \div \boxed{}}{\boxed{} \div 13} = \dfrac{\boxed{}}{\boxed{}}$

14 $\dfrac{26}{65} = \dfrac{2}{\boxed{}}$

7 $\dfrac{24}{120} = \dfrac{\boxed{} \div 24}{120 \div \boxed{}} = \dfrac{\boxed{}}{\boxed{}}$

15 $\dfrac{14}{70} = \dfrac{\boxed{}}{5}$

8 $\dfrac{56}{98} = \dfrac{56 \div \boxed{}}{\boxed{} \div 14} = \dfrac{\boxed{}}{\boxed{}}$

16 $\dfrac{34}{85} = \dfrac{2}{\boxed{}}$

☀ □ 안에 알맞은 수를 써넣고, 약분한 분수 중에서 분모가 가장 작은 분수를 쓰세요.

1 $\dfrac{18}{42} = \dfrac{18 \div 2}{42 \div \boxed{2}} = \dfrac{\boxed{9}}{\boxed{21}}$, $\dfrac{18}{42} = \dfrac{18 \div \boxed{3}}{42 \div 3} = \dfrac{\boxed{6}}{\boxed{14}}$, $\dfrac{18}{42} = \dfrac{18 \div 6}{42 \div \boxed{6}} = \dfrac{\boxed{3}}{\boxed{7}}$

⇨ ($\dfrac{3}{7}$)

└ 18과 42의 공약수인 2, 3, 6으로 나눕니다.

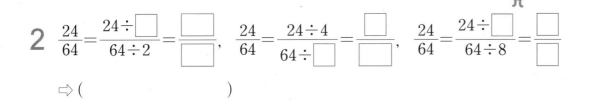

분모와 분자를 그들의 공약수로 더 이상 나누어지지 않을 때까지 나누면 기약분수가 돼.

2 $\dfrac{24}{64} = \dfrac{24 \div \square}{64 \div 2} = \dfrac{\square}{\square}$, $\dfrac{24}{64} = \dfrac{24 \div 4}{64 \div \square} = \dfrac{\square}{\square}$, $\dfrac{24}{64} = \dfrac{24 \div \square}{64 \div 8} = \dfrac{\square}{\square}$

⇨ (   )

3 $\dfrac{12}{28} = \dfrac{\square}{14}$, $\dfrac{12}{28} = \dfrac{3}{\square}$

⇨ (   )

4 $\dfrac{36}{63} = \dfrac{\square}{21}$, $\dfrac{36}{63} = \dfrac{4}{\square}$

⇨ (   )

5 $\dfrac{18}{24} = \dfrac{\square}{12}$, $\dfrac{18}{24} = \dfrac{6}{\square}$, $\dfrac{18}{24} = \dfrac{\square}{4}$

⇨ (   )

6 $\dfrac{48}{56} = \dfrac{\square}{28}$, $\dfrac{48}{56} = \dfrac{12}{\square}$, $\dfrac{48}{56} = \dfrac{\square}{7}$

⇨ (   )

7 $\dfrac{28}{42} = \dfrac{\square}{21}$, $\dfrac{28}{42} = \dfrac{4}{\square}$, $\dfrac{28}{42} = \dfrac{\square}{3}$

⇨ (   )

8 $\dfrac{15}{75} = \dfrac{\square}{25}$, $\dfrac{15}{75} = \dfrac{3}{\square}$, $\dfrac{15}{75} = \dfrac{\square}{5}$

⇨ (   )

9 $\dfrac{22}{88} = \dfrac{\square}{44}$, $\dfrac{22}{88} = \dfrac{2}{\square}$, $\dfrac{22}{88} = \dfrac{\square}{4}$

⇨ (   )

10 $\dfrac{42}{56} = \dfrac{\square}{28}$, $\dfrac{42}{56} = \dfrac{6}{\square}$, $\dfrac{42}{56} = \dfrac{\square}{4}$

⇨ (   )

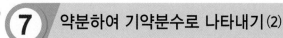

☀ 분모와 분자의 최대공약수를 이용하여 기약분수로 나타내려고 합니다. □ 안에 알맞은 수를 써넣으시오. [1~8]

1

$$\begin{array}{r} 2)\overline{18 \quad 30} \\ 3)\overline{9 \quad 15} \\ \overline{3 \quad 5} \end{array}$$

➡ 최대공약수: $\boxed{6}$ ⇨ $\dfrac{18}{30} = \dfrac{18 \div \boxed{6}}{30 \div \boxed{6}} = \dfrac{\boxed{3}}{\boxed{5}}$

분모와 분자를 그들의 최대공약수로 나누면 기약분수를 쉽게 만들 수 있어.

2

$$\begin{array}{r})\overline{36 \quad 48} \end{array}$$

➡ 최대공약수: $\boxed{}$ ⇨ $\dfrac{36}{48} = \dfrac{36 \div \boxed{}}{48 \div \boxed{}} = \dfrac{\boxed{}}{\boxed{}}$

3 $\dfrac{45}{75} = \dfrac{45 \div \boxed{}}{75 \div \boxed{}} = \dfrac{\boxed{}}{\boxed{}}$

6 $\dfrac{51}{136} = \dfrac{51 \div \boxed{}}{136 \div \boxed{}} = \dfrac{\boxed{}}{\boxed{}}$

4 $\dfrac{32}{80} = \dfrac{32 \div \boxed{}}{80 \div \boxed{}} = \dfrac{\boxed{}}{\boxed{}}$

7 $\dfrac{84}{114} = \dfrac{84 \div \boxed{}}{114 \div \boxed{}} = \dfrac{\boxed{}}{\boxed{}}$

5 $\dfrac{42}{96} = \dfrac{42 \div \boxed{}}{96 \div \boxed{}} = \dfrac{\boxed{}}{\boxed{}}$

8 $\dfrac{94}{376} = \dfrac{94 \div \boxed{}}{376 \div \boxed{}} = \dfrac{\boxed{}}{\boxed{}}$

☀ 분수를 기약분수로 나타내시오. [9~14]

9 $\boxed{\dfrac{16}{72}}$ ⇨ (   )

11 $\boxed{\dfrac{10}{42}}$ ⇨ (   )

13 $\boxed{\dfrac{90}{108}}$ ⇨ (   )

10 $\boxed{\dfrac{20}{64}}$ ⇨ (   )

12 $\boxed{\dfrac{56}{63}}$ ⇨ (   )

14 $\boxed{\dfrac{55}{121}}$ ⇨ (   )

☀ 기약분수를 모두 찾아 ◯표 하시오. [1~3]

1 　◯$\dfrac{1}{2}$　 $\dfrac{8}{10}$ 　◯$\dfrac{7}{11}$　 $\dfrac{14}{30}$ 　◯$\dfrac{12}{19}$　 $\dfrac{10}{25}$ 　◯$\dfrac{3}{8}$　 $\dfrac{28}{42}$ 　$\dfrac{30}{75}$ 　$\dfrac{42}{64}$

1과 2의 공약수: 1

분모와 분자의 공약수가 1뿐인 분수를 찾아봐.

2 　$\dfrac{2}{3}$ 　$\dfrac{8}{45}$ 　$\dfrac{18}{27}$ 　$\dfrac{21}{49}$ 　$\dfrac{9}{12}$ 　$\dfrac{28}{50}$ 　$\dfrac{33}{89}$ 　$\dfrac{13}{65}$ 　$\dfrac{25}{30}$ 　$\dfrac{50}{71}$

3 　$\dfrac{3}{15}$ 　$\dfrac{5}{14}$ 　$\dfrac{7}{21}$ 　$\dfrac{25}{32}$ 　$\dfrac{6}{9}$ 　$\dfrac{13}{42}$ 　$\dfrac{23}{69}$ 　$\dfrac{17}{51}$ 　$\dfrac{9}{38}$ 　$\dfrac{26}{91}$

☀ 왼쪽 진분수가 기약분수라고 할 때, □ 안에 들어갈 수 있는 수를 모두 쓰시오. [4~11]

4 　$\dfrac{□}{8}$ ⇨ (　　　　　　　)　　8 　$\dfrac{□}{15}$ ⇨ (　　　　　　　)

5 　$\dfrac{□}{10}$ ⇨ (　　　　　　　)　　9 　$\dfrac{□}{16}$ ⇨ (　　　　　　　)

6 　$\dfrac{□}{12}$ ⇨ (　　　　　　　)　　10 　$\dfrac{□}{18}$ ⇨ (　　　　　　　)

7 　$\dfrac{□}{14}$ ⇨ (　　　　　　　)　　11 　$\dfrac{□}{24}$ ⇨ (　　　　　　　)

4

약분과 통분

✹ □ 안에 알맞은 수를 써넣고, 통분하시오.

두 분수와 크기가 같은 분수를 각각 만든 다음, 분모가 같은 분수를 찾아봐.

1

$\left(\dfrac{5}{6},\ \dfrac{4}{9}\right)$

$\dfrac{5}{6}=\dfrac{10}{\boxed{12}}=\dfrac{15}{\boxed{18}}=\dfrac{\boxed{20}}{24}=\dfrac{\boxed{25}}{30}=\dfrac{30}{\boxed{36}}=\cdots\cdots$

$\dfrac{4}{9}=\dfrac{8}{\boxed{18}}=\dfrac{12}{\boxed{27}}=\dfrac{\boxed{16}}{36}=\dfrac{\boxed{20}}{45}=\dfrac{24}{\boxed{54}}=\cdots\cdots$

(×2, ×3 화살표)

⇨ $\dfrac{5}{6}$와 $\dfrac{4}{9}$를 통분하면 ($\dfrac{15}{18},\ \dfrac{8}{18}$), ($\dfrac{30}{36},\ \dfrac{16}{36}$)······입니다.

2

$\left(\dfrac{3}{8},\ \dfrac{7}{12}\right)$

$\dfrac{3}{8}=\dfrac{\boxed{}}{16}=\dfrac{9}{\boxed{}}=\dfrac{\boxed{}}{32}=\dfrac{15}{\boxed{}}=\dfrac{\boxed{}}{48}=\cdots\cdots$

$\dfrac{7}{12}=\dfrac{\boxed{}}{24}=\dfrac{21}{\boxed{}}=\dfrac{\boxed{}}{48}=\dfrac{35}{\boxed{}}=\dfrac{\boxed{}}{72}=\cdots\cdots$

⇨ $\dfrac{3}{8}$과 $\dfrac{7}{12}$을 통분하면 (   ), (   )······입니다.

3

$\left(\dfrac{7}{10},\ \dfrac{8}{15}\right)$

$\dfrac{7}{10}=\dfrac{14}{\boxed{}}=\dfrac{\boxed{}}{30}=\dfrac{28}{\boxed{}}=\dfrac{\boxed{}}{50}=\dfrac{42}{\boxed{}}=\cdots\cdots$

$\dfrac{8}{15}=\dfrac{16}{\boxed{}}=\dfrac{\boxed{}}{45}=\dfrac{32}{\boxed{}}=\dfrac{\boxed{}}{75}=\dfrac{48}{\boxed{}}=\cdots\cdots$

⇨ $\dfrac{7}{10}$과 $\dfrac{8}{15}$을 통분하면 (   ), (   )······입니다.

4

$\left(\dfrac{9}{14},\ \dfrac{13}{21}\right)$

$\dfrac{9}{14}=\dfrac{\boxed{}}{28}=\dfrac{27}{\boxed{}}=\dfrac{\boxed{}}{56}=\dfrac{45}{\boxed{}}=\dfrac{\boxed{}}{84}=\cdots\cdots$

$\dfrac{13}{21}=\dfrac{\boxed{}}{42}=\dfrac{39}{\boxed{}}=\dfrac{\boxed{}}{84}=\dfrac{65}{\boxed{}}=\dfrac{\boxed{}}{126}=\cdots\cdots$

⇨ $\dfrac{9}{14}$와 $\dfrac{13}{21}$을 통분하면 (   ), (   )······입니다.

✹ □ 안에 알맞은 수를 써넣고, 통분하시오.

1 $\dfrac{1}{3}$과 $\dfrac{2}{7}$에서 두 분모 3과 7의 곱은 $\boxed{21}$ 입니다.

┌ 분모와 분자에 같은 수를 곱합니다.

$\left(\dfrac{1}{3} = \dfrac{1 \times \boxed{7}}{3 \times 7} = \dfrac{\boxed{7}}{\boxed{21}} , \dfrac{2}{7} = \dfrac{2 \times \boxed{3}}{7 \times 3} = \dfrac{\boxed{6}}{\boxed{21}} \right) \Rightarrow \left(\dfrac{7}{21} , \dfrac{6}{21} \right)$

> 두 분모의 곱으로 통분을 하면 분모, 분자가 커지지만 두 분모의 공배수를 구하지 않아도 돼.

2 $\dfrac{5}{6}$와 $\dfrac{3}{10}$에서 두 분모 6과 10의 곱은 $\boxed{}$ 입니다.

$\left(\dfrac{5}{6} = \dfrac{5 \times 10}{6 \times \boxed{}} = \dfrac{\boxed{}}{\boxed{}} , \dfrac{3}{10} = \dfrac{3 \times 6}{10 \times \boxed{}} = \dfrac{\boxed{}}{\boxed{}} \right) \Rightarrow \left(\right)$

3 $\dfrac{5}{6}$와 $\dfrac{7}{8}$에서 두 분모 6과 8의 곱은 $\boxed{}$ 입니다.

$\left(\dfrac{5}{6} = \dfrac{5 \times \boxed{}}{6 \times \boxed{}} = \dfrac{\boxed{}}{\boxed{}} , \dfrac{7}{8} = \dfrac{7 \times \boxed{}}{8 \times \boxed{}} = \dfrac{\boxed{}}{\boxed{}} \right) \Rightarrow \left(\right)$

4 $\dfrac{4}{9}$와 $\dfrac{5}{12}$에서 두 분모 9와 12의 곱은 $\boxed{}$ 입니다.

$\left(\dfrac{4}{9} = \dfrac{4 \times \boxed{}}{9 \times \boxed{}} = \dfrac{\boxed{}}{\boxed{}} , \dfrac{5}{12} = \dfrac{5 \times \boxed{}}{12 \times \boxed{}} = \dfrac{\boxed{}}{\boxed{}} \right) \Rightarrow \left(\right)$

5 $2\dfrac{1}{4}$과 $3\dfrac{5}{14}$에서 두 분모 4와 14의 곱은 $\boxed{}$ 입니다.

$\left(2\dfrac{1}{4} = 2\dfrac{1 \times \boxed{}}{4 \times \boxed{}} = 2\dfrac{\boxed{}}{\boxed{}} , 3\dfrac{5}{14} = 3\dfrac{5 \times \boxed{}}{14 \times \boxed{}} = 3\dfrac{\boxed{}}{\boxed{}} \right) \Rightarrow \left(\right)$

6 $1\dfrac{7}{12}$과 $2\dfrac{4}{17}$에서 두 분모 12와 17의 곱은 $\boxed{}$ 입니다.

$\left(1\dfrac{7}{12} = 1\dfrac{7 \times \boxed{}}{12 \times \boxed{}} = 1\dfrac{\boxed{}}{\boxed{}} , 2\dfrac{4}{17} = 2\dfrac{4 \times \boxed{}}{17 \times \boxed{}} = 2\dfrac{\boxed{}}{\boxed{}} \right) \Rightarrow \left(\right)$

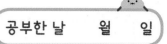
☀ □ 안에 알맞은 수를 써넣고, 통분하시오.

두 수의 공배수 중에서 가장 작은 수가 최소공배수야.

1 $\frac{1}{3}$과 $\frac{4}{9}$에서 두 분모 3과 9의 최소공배수는 $\boxed{9}$입니다.

$$\left(\frac{1}{3} = \frac{1 \times 3}{3 \times \boxed{3}} = \frac{\boxed{3}}{\boxed{9}}, \frac{4}{9}\right) \Rightarrow \left(\quad \frac{3}{9}, \frac{4}{9} \quad\right)$$

$\begin{array}{r} 3) \underline{3 \quad 9} \\ 1 \quad 3 \end{array}$ → 최소공배수: $3 \times 1 \times 3 = 9$

2 $\frac{3}{4}$과 $\frac{7}{10}$에서 두 분모 4와 10의 최소공배수는 $\boxed{}$입니다.

$$\left(\frac{3}{4} = \frac{3 \times \boxed{}}{4 \times \boxed{}} = \frac{\boxed{}}{\boxed{}}, \frac{7}{10} = \frac{7 \times 2}{10 \times \boxed{}} = \frac{\boxed{}}{\boxed{}}\right) \Rightarrow \left(\qquad\right)$$

3 $\frac{7}{18}$과 $\frac{7}{12}$에서 두 분모 18과 12의 최소공배수는 $\boxed{}$입니다.

$$\left(\frac{7}{18} = \frac{7 \times \boxed{}}{18 \times \boxed{}} = \frac{\boxed{}}{\boxed{}}, \frac{7}{12} = \frac{7 \times \boxed{}}{12 \times \boxed{}} = \frac{\boxed{}}{\boxed{}}\right) \Rightarrow \left(\qquad\right)$$

4 $\frac{3}{8}$과 $\frac{11}{28}$에서 두 분모 8과 28의 최소공배수는 $\boxed{}$입니다.

$$\left(\frac{3}{8} = \frac{3 \times \boxed{}}{8 \times \boxed{}} = \frac{\boxed{}}{\boxed{}}, \frac{11}{28} = \frac{11 \times \boxed{}}{28 \times \boxed{}} = \frac{\boxed{}}{\boxed{}}\right) \Rightarrow \left(\qquad\right)$$

5 $2\frac{4}{15}$와 $3\frac{2}{9}$에서 두 분모 15와 9의 최소공배수는 $\boxed{}$입니다.

$$\left(2\frac{4}{15} = 2\frac{4 \times \boxed{}}{15 \times \boxed{}} = 2\frac{\boxed{}}{\boxed{}}, 3\frac{2}{9} = 3\frac{2 \times \boxed{}}{9 \times \boxed{}} = 3\frac{\boxed{}}{\boxed{}}\right) \Rightarrow \left(\qquad\right)$$

6 $4\frac{5}{12}$와 $2\frac{9}{16}$에서 두 분모 12와 16의 최소공배수는 $\boxed{}$입니다.

$$\left(4\frac{5}{12} = 4\frac{5 \times \boxed{}}{12 \times \boxed{}} = 4\frac{\boxed{}}{\boxed{}}, 2\frac{9}{16} = 2\frac{9 \times \boxed{}}{16 \times \boxed{}} = 2\frac{\boxed{}}{\boxed{}}\right) \Rightarrow \left(\qquad\right)$$

☀ 두 분모의 최소공배수를 공통분모로 하여 통분하시오.

1 $\left(\dfrac{1}{6}, \dfrac{4}{9}\right) \Rightarrow \left(\dfrac{3}{18}, \dfrac{8}{18} \right)$

$\begin{array}{r} 3)\underline{6\ 9} \\ 2\ 3 \end{array} \rightarrow$ 최소공배수: $3 \times 2 \times 3 = 18$

 두 분모의 최소공배수로 통분을 하면 수가 커지지 않아 계산이 간편해.

9 $\left(\dfrac{3}{16}, \dfrac{5}{48}\right) \Rightarrow ($ $)$

2 $\left(\dfrac{3}{4}, \dfrac{7}{10}\right) \Rightarrow ($ $)$

10 $\left(\dfrac{13}{20}, \dfrac{27}{50}\right) \Rightarrow ($ $)$

3 $\left(\dfrac{5}{8}, \dfrac{5}{12}\right) \Rightarrow ($ $)$

11 $\left(\dfrac{7}{12}, \dfrac{31}{60}\right) \Rightarrow ($ $)$

4 $\left(\dfrac{3}{5}, \dfrac{6}{11}\right) \Rightarrow ($ $)$

12 $\left(\dfrac{9}{16}, \dfrac{21}{40}\right) \Rightarrow ($ $)$

5 $\left(\dfrac{2}{9}, \dfrac{8}{15}\right) \Rightarrow ($ $)$

13 $\left(\dfrac{8}{25}, \dfrac{19}{75}\right) \Rightarrow ($ $)$

6 $\left(\dfrac{1}{4}, \dfrac{3}{13}\right) \Rightarrow ($ $)$

14 $\left(\dfrac{7}{18}, \dfrac{10}{27}\right) \Rightarrow ($ $)$

7 $\left(\dfrac{3}{10}, \dfrac{5}{14}\right) \Rightarrow ($ $)$

15 $\left(\dfrac{11}{24}, \dfrac{13}{36}\right) \Rightarrow ($ $)$

8 $\left(\dfrac{8}{11}, \dfrac{14}{33}\right) \Rightarrow ($ $)$

16 $\left(\dfrac{13}{36}, \dfrac{17}{54}\right) \Rightarrow ($ $)$

4
약분과 통분

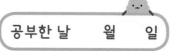

❋ □ 안에 알맞은 수를 써넣고, 두 분수의 크기를 비교하여 ○ 안에 >, =, <를 알맞게 써넣으시오.

1 $\left(\dfrac{1}{2}, \dfrac{2}{5}\right) \Rightarrow \left(\dfrac{\boxed{5}}{10}, \dfrac{\boxed{4}}{10}\right) \Rightarrow \dfrac{1}{2} \gtrdot \dfrac{2}{5}$

분자의 크기를 비교하면 5>4입니다.

분모가 다른 두 분수는 통분한 다음, 분자의 크기를 비교해.

8 $\dfrac{2}{9} = \dfrac{\Box}{99} \bigcirc \dfrac{3}{11} = \dfrac{\Box}{99}$

2 $\left(\dfrac{2}{3}, \dfrac{3}{4}\right) \Rightarrow \left(\dfrac{\Box}{12}, \dfrac{\Box}{12}\right) \Rightarrow \dfrac{2}{3} \bigcirc \dfrac{3}{4}$

9 $\dfrac{5}{8} = \dfrac{\Box}{24} \bigcirc \dfrac{7}{12} = \dfrac{\Box}{24}$

3 $\left(\dfrac{3}{5}, \dfrac{5}{8}\right) \Rightarrow \left(\dfrac{\Box}{40}, \dfrac{\Box}{40}\right) \Rightarrow \dfrac{3}{5} \bigcirc \dfrac{5}{8}$

10 $\dfrac{3}{4} = \dfrac{\Box}{36} \bigcirc \dfrac{13}{18} = \dfrac{\Box}{36}$

4 $\left(\dfrac{5}{6}, \dfrac{7}{9}\right) \Rightarrow \left(\dfrac{\Box}{18}, \dfrac{\Box}{\Box}\right) \Rightarrow \dfrac{5}{6} \bigcirc \dfrac{7}{9}$

11 $\dfrac{9}{14} = \dfrac{\Box}{70} \bigcirc \dfrac{19}{35} = \dfrac{\Box}{70}$

5 $\left(\dfrac{7}{12}, \dfrac{11}{18}\right) \Rightarrow \left(\dfrac{\Box}{36}, \dfrac{\Box}{\Box}\right) \Rightarrow \dfrac{7}{12} \bigcirc \dfrac{11}{18}$

12 $\dfrac{7}{10} = \dfrac{\Box}{30} \bigcirc \dfrac{11}{15} = \dfrac{\Box}{30}$

6 $\left(\dfrac{25}{51}, \dfrac{9}{17}\right) \Rightarrow \left(\dfrac{\Box}{\Box}, \dfrac{\Box}{51}\right) \Rightarrow \dfrac{25}{51} \bigcirc \dfrac{9}{17}$

13 $\dfrac{7}{16} = \dfrac{\Box}{48} \bigcirc \dfrac{13}{24} = \dfrac{\Box}{48}$

7 $\left(\dfrac{7}{10}, \dfrac{11}{16}\right) \Rightarrow \left(\dfrac{\Box}{\Box}, \dfrac{\Box}{80}\right) \Rightarrow \dfrac{7}{10} \bigcirc \dfrac{11}{16}$

14 $\dfrac{4}{13} = \dfrac{\Box}{52} \bigcirc \dfrac{9}{26} = \dfrac{\Box}{52}$

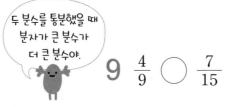

14 두 분수의 크기 비교하기 ⑵

☀ 분수의 크기를 비교하여 ○ 안에 >, =, <를 알맞게 써넣으시오.

1 $\dfrac{2}{5}$ ⬤< $\dfrac{9}{20}$

$\left(\dfrac{2}{5}, \dfrac{9}{20}\right) \Rightarrow \left(\dfrac{⑧}{20}, \dfrac{⑨}{20}\right) \Rightarrow \dfrac{2}{5} < \dfrac{9}{20}$

2 $\dfrac{5}{8}$ ○ $\dfrac{7}{9}$

두 분수를 통분했을 때 분자가 큰 분수가 더 큰 분수야.

3 $\dfrac{5}{12}$ ○ $\dfrac{3}{8}$

4 $\dfrac{1}{6}$ ○ $\dfrac{5}{24}$

5 $\dfrac{14}{15}$ ○ $\dfrac{7}{10}$

6 $\dfrac{7}{12}$ ○ $\dfrac{11}{18}$

7 $\dfrac{3}{4}$ ○ $\dfrac{9}{14}$

8 $\dfrac{3}{7}$ ○ $\dfrac{5}{12}$

9 $\dfrac{4}{9}$ ○ $\dfrac{7}{15}$

10 $\dfrac{5}{8}$ ○ $\dfrac{11}{20}$

11 $\dfrac{11}{16}$ ○ $\dfrac{13}{24}$

12 $\dfrac{5}{14}$ ○ $\dfrac{7}{18}$

13 $\dfrac{13}{30}$ ○ $\dfrac{22}{45}$

14 $\dfrac{7}{24}$ ○ $\dfrac{9}{32}$

15 $1\dfrac{5}{9}$ ○ $1\dfrac{3}{5}$

16 $2\dfrac{3}{4}$ ○ $2\dfrac{9}{10}$

17 $3\dfrac{5}{12}$ ○ $3\dfrac{3}{10}$

18 $4\dfrac{7}{12}$ ○ $4\dfrac{5}{8}$

19 $6\dfrac{4}{5}$ ○ $6\dfrac{21}{25}$

20 $8\dfrac{5}{6}$ ○ $8\dfrac{17}{21}$

21 $5\dfrac{13}{18}$ ○ $5\dfrac{23}{30}$

4

약분과 통분

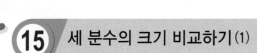

1 세 분수 $\dfrac{3}{8}$, $\dfrac{5}{12}$, $\dfrac{17}{48}$ 의 크기를 비교하여 큰 분수부터 차례로 쓰시오.

두 분수를 통분한 다음 분자의 크기를 비교합니다.

$\left(\dfrac{3}{8}, \dfrac{5}{12}\right) \Rightarrow \left(\dfrac{\boxed{9}}{24}, \dfrac{\boxed{10}}{24}\right) \Rightarrow \dfrac{3}{8} \bigcirc\!\!<\ \dfrac{5}{12}$

$\left(\dfrac{5}{12}, \dfrac{17}{48}\right) \Rightarrow \left(\dfrac{\boxed{20}}{48}, \dfrac{\boxed{17}}{\boxed{48}}\right) \Rightarrow \dfrac{5}{12} \bigcirc\!\!>\ \dfrac{17}{48}$

$\left(\dfrac{3}{8}, \dfrac{17}{48}\right) \Rightarrow \left(\dfrac{\boxed{18}}{\boxed{48}}, \dfrac{\boxed{17}}{\boxed{48}}\right) \Rightarrow \dfrac{3}{8} \bigcirc\!\!>\ \dfrac{17}{48}$

$\Rightarrow ($ $\dfrac{5}{12}$, $\dfrac{3}{8}$, $\dfrac{17}{48}$ $)$

> 세 분수의 크기를 비교할 때에는 두 분수씩 비교하여 먼저 가장 큰 분수를 찾은 다음 나머지 분수를 비교해야 해.

☀ ○ 안에 >, <를 알맞게 써넣고, 세 분수의 크기를 비교하여 큰 분수부터 차례로 쓰시오. [2~7]

2 $\boxed{\ \dfrac{1}{2}\quad \dfrac{1}{3}\quad \dfrac{1}{4}\ }$ $\Rightarrow$ $\begin{bmatrix} \dfrac{1}{2} \bigcirc \dfrac{1}{3} \\ \dfrac{1}{3} \bigcirc \dfrac{1}{4} \\ \dfrac{1}{2} \bigcirc \dfrac{1}{4} \end{bmatrix}$

$\Rightarrow ($ $)$

5 $\boxed{\ \dfrac{1}{5}\quad \dfrac{8}{25}\quad \dfrac{4}{15}\ }$ $\Rightarrow$ $\begin{bmatrix} \dfrac{1}{5} \bigcirc \dfrac{8}{25} \\ \dfrac{8}{25} \bigcirc \dfrac{4}{15} \\ \dfrac{1}{5} \bigcirc \dfrac{4}{15} \end{bmatrix}$

$\Rightarrow ($ $)$

3 $\boxed{\ \dfrac{3}{4}\quad \dfrac{4}{5}\quad \dfrac{5}{7}\ }$ $\Rightarrow$ $\begin{bmatrix} \dfrac{3}{4} \bigcirc \dfrac{4}{5} \\ \dfrac{4}{5} \bigcirc \dfrac{5}{7} \\ \dfrac{3}{4} \bigcirc \dfrac{5}{7} \end{bmatrix}$

$\Rightarrow ($ $)$

6 $\boxed{\ \dfrac{5}{12}\quad \dfrac{7}{18}\quad \dfrac{11}{24}\ }$ $\Rightarrow$ $\begin{bmatrix} \dfrac{5}{12} \bigcirc \dfrac{7}{18} \\ \dfrac{7}{18} \bigcirc \dfrac{11}{24} \\ \dfrac{5}{12} \bigcirc \dfrac{11}{24} \end{bmatrix}$

$\Rightarrow ($ $)$

4 $\boxed{\ \dfrac{2}{3}\quad \dfrac{7}{8}\quad \dfrac{3}{5}\ }$ $\Rightarrow$ $\begin{bmatrix} \dfrac{2}{3} \bigcirc \dfrac{7}{8} \\ \dfrac{7}{8} \bigcirc \dfrac{3}{5} \\ \dfrac{2}{3} \bigcirc \dfrac{3}{5} \end{bmatrix}$

$\Rightarrow ($ $)$

7 $\boxed{\ \dfrac{9}{14}\quad \dfrac{13}{20}\quad \dfrac{25}{32}\ }$ $\Rightarrow$ $\begin{bmatrix} \dfrac{9}{14} \bigcirc \dfrac{13}{20} \\ \dfrac{13}{20} \bigcirc \dfrac{25}{32} \\ \dfrac{9}{14} \bigcirc \dfrac{25}{32} \end{bmatrix}$

$\Rightarrow ($ $)$

❋ 세 분수의 크기를 비교하여 큰 분수부터 차례로 쓰시오. [1~5]

1

| $\dfrac{1}{3}$ | $\dfrac{2}{7}$ | $\dfrac{4}{9}$ |

⇨ ($\dfrac{4}{9}$, $\dfrac{1}{3}$, $\dfrac{2}{7}$)

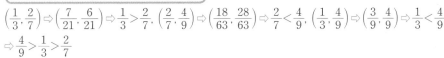

$\left(\dfrac{1}{3}, \dfrac{2}{7}\right) \Rightarrow \left(\dfrac{7}{21}, \dfrac{6}{21}\right) \Rightarrow \dfrac{1}{3} > \dfrac{2}{7}$, $\left(\dfrac{2}{7}, \dfrac{4}{9}\right) \Rightarrow \left(\dfrac{18}{63}, \dfrac{28}{63}\right) \Rightarrow \dfrac{2}{7} < \dfrac{4}{9}$, $\left(\dfrac{1}{3}, \dfrac{4}{9}\right) \Rightarrow \left(\dfrac{3}{9}, \dfrac{4}{9}\right) \Rightarrow \dfrac{1}{3} < \dfrac{4}{9}$

$\Rightarrow \dfrac{4}{9} > \dfrac{1}{3} > \dfrac{2}{7}$

세 분수의 크기를 두 분수끼리 비교한 다음 큰 분수부터 차례로 쓰면 돼.

2

| $\dfrac{3}{4}$ | $\dfrac{11}{14}$ | $\dfrac{43}{56}$ |

⇨ (   )

4

| $\dfrac{2}{3}$ | $\dfrac{1}{2}$ | $\dfrac{4}{7}$ |

⇨ (   )

3

| $\dfrac{5}{12}$ | $\dfrac{7}{15}$ | $\dfrac{13}{30}$ |

⇨ (   )

5

| $1\dfrac{3}{8}$ | $1\dfrac{9}{20}$ | $1\dfrac{2}{5}$ |

⇨ (   )

❋ 세 분수의 크기를 비교하여 작은 분수부터 차례로 쓰시오. [6~10]

6

| $\dfrac{3}{5}$ | $\dfrac{5}{8}$ | $\dfrac{7}{12}$ |

⇨ (   )

■, ▲, ●에서
■ > ▲, ● < ■이면
▲와 ● 중 작은 수가
가장 작은 수야.

7

| $\dfrac{2}{3}$ | $\dfrac{3}{4}$ | $\dfrac{4}{5}$ |

⇨ (   )

8

| $\dfrac{5}{9}$ | $\dfrac{7}{12}$ | $\dfrac{19}{36}$ |

⇨ (   )

9

| $\dfrac{4}{7}$ | $\dfrac{5}{8}$ | $\dfrac{3}{5}$ |

⇨ (   )

10

| $2\dfrac{5}{6}$ | $2\dfrac{7}{10}$ | $2\dfrac{8}{15}$ |

⇨ (   )

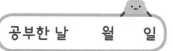
☀ 두 분수를 소수로 고쳐서 크기를 비교하시오.

$\dfrac{15}{30}$를 소수로 고치기 위해 $\dfrac{5}{10}$로 약분합니다.

1 $\left(\dfrac{4}{10}, \dfrac{15}{30}\right) \Rightarrow \left(\boxed{\dfrac{4}{10}}, \boxed{\dfrac{5}{10}}\right) \Rightarrow (\boxed{0.4}, \boxed{0.5})$

$\Rightarrow \boxed{0.4} \;\bigcirc\!\!<\; \boxed{0.5} \Rightarrow \dfrac{4}{10} \;\bigcirc\!\!<\; \dfrac{15}{30}$

분수를 소수로 나타낼 때에는 분모를 10으로 고친 다음 소수로 나타내면 돼.

2 $\left(\dfrac{3}{10}, \dfrac{8}{20}\right) \Rightarrow \left(\dfrac{\square}{10}, \dfrac{\square}{10}\right) \Rightarrow (\boxed{}, \boxed{}) \Rightarrow \boxed{} \bigcirc \boxed{} \Rightarrow \dfrac{3}{10} \bigcirc \dfrac{8}{20}$

3 $\left(\dfrac{12}{20}, \dfrac{24}{30}\right) \Rightarrow \left(\dfrac{\square}{10}, \dfrac{\square}{10}\right) \Rightarrow (\boxed{}, \boxed{}) \Rightarrow \boxed{} \bigcirc \boxed{} \Rightarrow \dfrac{12}{20} \bigcirc \dfrac{24}{30}$

4 $\left(\dfrac{16}{40}, \dfrac{10}{50}\right) \Rightarrow \left(\dfrac{\square}{10}, \dfrac{\square}{10}\right) \Rightarrow (\boxed{}, \boxed{}) \Rightarrow \boxed{} \bigcirc \boxed{} \Rightarrow \dfrac{16}{40} \bigcirc \dfrac{10}{50}$

5 $\left(\dfrac{7}{10}, \dfrac{24}{40}\right) \Rightarrow \left(\dfrac{\square}{10}, \dfrac{\square}{10}\right) \Rightarrow (\boxed{}, \boxed{}) \Rightarrow \boxed{} \bigcirc \boxed{} \Rightarrow \dfrac{7}{10} \bigcirc \dfrac{24}{40}$

6 $\left(\dfrac{18}{30}, \dfrac{35}{50}\right) \Rightarrow \left(\dfrac{\square}{10}, \dfrac{\square}{10}\right) \Rightarrow (\boxed{}, \boxed{}) \Rightarrow \boxed{} \bigcirc \boxed{} \Rightarrow \dfrac{18}{30} \bigcirc \dfrac{35}{50}$

7 $\left(\dfrac{27}{30}, \dfrac{28}{40}\right) \Rightarrow \left(\dfrac{\square}{10}, \dfrac{\square}{10}\right) \Rightarrow (\boxed{}, \boxed{}) \Rightarrow \boxed{} \bigcirc \boxed{} \Rightarrow \dfrac{27}{30} \bigcirc \dfrac{28}{40}$

8 $\left(\dfrac{14}{20}, \dfrac{40}{50}\right) \Rightarrow \left(\dfrac{\square}{10}, \dfrac{\square}{10}\right) \Rightarrow (\boxed{}, \boxed{}) \Rightarrow \boxed{} \bigcirc \boxed{} \Rightarrow \dfrac{14}{20} \bigcirc \dfrac{40}{50}$

9 $\left(\dfrac{24}{30}, \dfrac{36}{40}\right) \Rightarrow \left(\dfrac{\square}{10}, \dfrac{\square}{10}\right) \Rightarrow (\boxed{}, \boxed{}) \Rightarrow \boxed{} \bigcirc \boxed{} \Rightarrow \dfrac{24}{30} \bigcirc \dfrac{36}{40}$

18 분수와 소수의 크기 비교하기 (1)

✸ 분수를 소수로 고쳐서 크기를 비교하시오.

분수를 소수로 나타낼 때에는 분모를 10, 100, 1000으로 만들면 돼.

1 $(\frac{3}{5}, 0.5)$ ⇨ $\frac{3}{5} = \frac{\boxed{6}}{10} = \boxed{0.6}$ ⇨ $\frac{3}{5}$ $\bigodot\!\!>$ 0.5

$$\frac{3}{5} = \frac{3 \times 2}{5 \times 2} = \frac{6}{10}$$

2 $(0.27, \frac{1}{4})$ ⇨ $\frac{1}{4} = \frac{\boxed{}}{100} = \boxed{}$ ⇨ 0.27 ◯ $\frac{1}{4}$

3 $(\frac{3}{4}, 0.8)$ ⇨ $\frac{3}{4} = \frac{\boxed{}}{100} = \boxed{}$ ⇨ $\frac{3}{4}$ ◯ 0.8

4 $(\frac{6}{25}, 0.21)$ ⇨ $\frac{6}{25} = \frac{\boxed{}}{100} = \boxed{}$ ⇨ $\frac{6}{25}$ ◯ 0.21

5 $(1.49, 1\frac{1}{2})$ ⇨ $1\frac{1}{2} = 1\frac{\boxed{}}{10} = \boxed{}$ ⇨ 1.49 ◯ $1\frac{1}{2}$

6 $(3\frac{17}{20}, 3.82)$ ⇨ $3\frac{17}{20} = 3\frac{\boxed{}}{100} = \boxed{}$ ⇨ $3\frac{17}{20}$ ◯ 3.82

7 $(6.195, 6\frac{51}{250})$ ⇨ $6\frac{51}{250} = 6\frac{\boxed{}}{1000} = \boxed{}$ ⇨ 6.195 ◯ $6\frac{51}{250}$

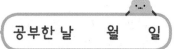

☀ **소수를 분수로 고쳐서 크기를 비교하시오.**

1 $(0.8, \dfrac{7}{10}) \Rightarrow 0.8 = \dfrac{\boxed{8}}{10} \Rightarrow 0.8 \enspace \boxed{>} \enspace \dfrac{7}{10}$

소수 한 자리 수이면 분모가
10인 분수로 나타냅니다.

> 소수 한 자리 수는 분모가 10인 분수로,
> 소수 두 자리 수는 분모가 100인 분수로,
> 소수 세 자리 수는 분모가 1000인 분수로
> 나타낼 수 있어.

2 $(\dfrac{19}{100}, 0.21) \Rightarrow 0.21 = \dfrac{\boxed{}}{100} \Rightarrow \dfrac{19}{100} \enspace \bigcirc \enspace 0.21$

3 $(0.45, \dfrac{9}{20}) \Rightarrow 0.45 = \dfrac{\boxed{}}{100} = \dfrac{\boxed{}}{20} \Rightarrow 0.45 \enspace \bigcirc \enspace \dfrac{9}{20}$

4 $(2\dfrac{8}{25}, 2.36) \Rightarrow 2.36 = 2\dfrac{\boxed{}}{100} = 2\dfrac{\boxed{}}{25} \Rightarrow 2\dfrac{8}{25} \enspace \bigcirc \enspace 2.36$

5 $(5.63, 5\dfrac{31}{50}) \Rightarrow 5.63 = 5\dfrac{\boxed{}}{100}, \enspace 5\dfrac{31}{50} = 5\dfrac{\boxed{}}{100} \Rightarrow 5.63 \enspace \bigcirc \enspace 5\dfrac{31}{50}$

6 $(3\dfrac{1}{4}, 3.31) \Rightarrow 3\dfrac{1}{4} = 3\dfrac{\boxed{}}{100}, \enspace 3.31 = 3\dfrac{\boxed{}}{100} \Rightarrow 3\dfrac{1}{4} \enspace \bigcirc \enspace 3.31$

7 $(4.055, 4\dfrac{13}{250}) \Rightarrow 4.055 = 4\dfrac{\boxed{}}{1000}, \enspace 4\dfrac{13}{250} = 4\dfrac{\boxed{}}{1000} \Rightarrow 4.055 \enspace \bigcirc \enspace 4\dfrac{13}{250}$

☀ 분수와 소수의 크기를 비교하여 큰 수부터 차례로 쓰시오.

1

$\overset{\frac{75}{100}=0.75}{\frac{3}{4}}$ 0.78 $\overset{\frac{8}{10}=0.8}{\frac{4}{5}}$ ⇨ ($\frac{4}{5}$, 0.78, $\frac{3}{4}$)

$\frac{3}{4}=0.75, \frac{4}{5}=0.8 \Rightarrow \frac{4}{5}>0.78>\frac{3}{4}$

분수와 소수의 크기 비교는
분수를 소수로 나타내어
소수끼리 비교하거나,
소수를 분수로 나타내어
분수끼리 비교해 봐.

2   0.95 $\frac{17}{20}$ 0.896   ⇨ (   )

3 $\frac{8}{25}$ 0.34 $\frac{2}{5}$ ⇨ (   )

4   1.08 $1\frac{19}{250}$ 1.069   ⇨ (   )

5 $3\frac{37}{50}$ 3.64 $3\frac{3}{4}$ ⇨ (   )

6   8.627 $8\frac{13}{20}$ 8.73   ⇨ (   )

7 $6\frac{3}{10}$ 6.278 $6\frac{7}{25}$ 6.31   ⇨ (   )

4   약분과 통분

1 $\frac{16}{24}$과 크기가 같은 분수를 모두 찾아 ○표 하시오.

$$\frac{1}{2} \qquad \frac{2}{3} \qquad \frac{3}{4} \qquad \frac{4}{6} \qquad \frac{30}{48} \qquad \frac{48}{72} \qquad \frac{62}{96}$$

• 분모와 분자에 0이 아닌 같은 수를 곱하거나 나누어도 크기는 변하지 않습니다.

2 크기가 같은 분수를 3개씩 쓰시오.

(1) $\frac{7}{9}$ ⇨ (   )   (2) $\frac{5}{12}$ ⇨ (   )

• 분모와 분자에 0이 아닌 같은 수를 곱하면 크기가 같은 분수가 됩니다.

3 기약분수로 나타내시오.

(1) $\frac{9}{36}$ ⇨ (   )   (2) $\frac{8}{54}$ ⇨ (   )

• 분모와 분자의 공약수가 1뿐인 분수를 기약분수라고 합니다.

4 분모의 곱을 공통분모로 하여 통분하시오.

(1) $\left(\frac{1}{4}, \frac{2}{5} \right)$ ⇨ (   )

(2) $\left(\frac{3}{8}, \frac{7}{20} \right)$ ⇨ (   )

통분할 경우 분모가 작을 때는 두 분모의 곱으로 통분하면 간단하고, 분모가 클 때는 두 분모의 최소공배수로 통분하면 편리해.

5 분모의 최소공배수를 공통분모로 하여 통분하시오.

(1) $\left(\frac{5}{6}, \frac{2}{9} \right)$ ⇨ (   )

(2) $\left(\frac{7}{12}, \frac{11}{20} \right)$ ⇨ (   )

6 □ 안에 알맞은 수를 써넣고 두 분수의 크기를 비교하여 ○ 안에 >, =, <를 알맞게 써넣으시오.

$$\left(\frac{13}{16}, \frac{17}{20}\right) \Rightarrow \left(\frac{\boxed{}}{80}, \frac{\boxed{}}{80}\right) \Rightarrow \frac{13}{16} \bigcirc \frac{17}{20}$$

7 가장 큰 분수에 ○표, 가장 작은 분수에 △표 하시오.

(1)
$$\frac{3}{4} \quad \frac{5}{9} \quad \frac{4}{11}$$

(2)
$$3\frac{5}{6} \quad 3\frac{9}{14} \quad 3\frac{7}{8}$$

8 두 수의 크기를 비교하여 ○ 안에 >, =, <를 알맞게 써넣으시오.

(1) $0.67 \bigcirc \frac{3}{5}$

(2) $4\frac{7}{20} \bigcirc 4.38$

9 유진이는 바게트와 식빵을 만드는 데 다음과 같은 양의 효모를 사용하였습니다. 효모를 더 많이 사용한 빵은 어느 것입니까?

바게트: $20\frac{3}{4}$ g   식빵: $20\frac{14}{25}$ g

(   )

10 수 카드가 4장 있습니다. 이 중 2장을 뽑아 진분수를 만들려고 합니다. 만들 수 있는 진분수 중 가장 작은 수를 소수로 나타내어 보시오.

| 1 | 2 | 3 | 5 |

(   )

• 세 분수의 크기를 비교할 때는 두 분수끼리 통분하여 차례로 크기를 비교합니다.

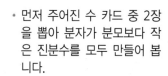

분수와 소수의 크기 비교는 분수를 소수로 나타내어 소수끼리 비교하거나 소수를 분수로 나타내어 분수끼리 비교하면 돼.

• 먼저 주어진 수 카드 중 2장을 뽑아 분자가 분모보다 작은 진분수를 모두 만들어 봅니다.

QR 코드를 찍어 보세요.
문제 생성기 새로운 문제를 계속 풀 수 있어요.

4 약분과 통분

5 분수의 덧셈과 뺄셈

제5화 펭귄 왕자의 마지막 선물

이거 선물.

어머! 웬 선물이야?

고향으로 돌아가기 전에 주는 선물이야.

어? 정말 돌아가는 거야?

응, 아빠가 빨리 오라고 하셨어.

아쉽다.

근데 상자 안에 뭐가 들어 있는 거야?

낚시해서 잡은 건데 무게가 $\frac{2}{3}$ kg 나가는 고등어야.

고마워. 엄마가 좋아하시겠다.

그리고 이건 무게가 $\frac{1}{4}$ kg 나가는 오징어야.

오징어까지……. 고마워.

꽤 묵직하네. 모두 몇 kg이나 돼?

$\frac{2}{3}$ kg과 $\frac{1}{4}$ kg을 더해 보면 되겠네.

무게는 모두 $\frac{11}{12}$ kg이야.

$$\frac{2}{3} + \frac{1}{4} = \frac{2 \times 4}{3 \times 4} + \frac{1 \times 3}{4 \times 3}$$
$$= \frac{8}{12} + \frac{3}{12} = \frac{11}{12} \ (\text{kg})$$

정말 고마워. 근데 낚시는 언제 한 거야?

아침 일찍 한강 가서.

이미 배운 내용	이번에 배울 내용	앞으로 배울 내용
[4-2 분수의 덧셈과 뺄셈] • 분모가 같은 분수의 덧셈하기 • 분모가 같은 분수의 뺄셈하기 [5-1 약분과 통분] • 분수의 통분	• 분모가 다른 진분수, 대분수의 덧셈하기 • 분모가 다른 진분수, 대분수의 뺄셈하기	[5-2 분수의 곱셈] • 분수와 자연수의 곱셈하기 • 자연수와 분수의 곱셈하기 • 진분수의 곱셈하기 • 대분수의 곱셈하기 • 세 분수의 곱셈하기

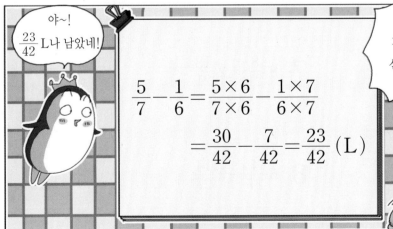

$$\frac{5}{7} - \frac{1}{6} = \frac{5 \times 6}{7 \times 6} - \frac{1 \times 7}{6 \times 7}$$
$$= \frac{30}{42} - \frac{7}{42} = \frac{23}{42} \, (L)$$

배운 것 확인하기

1 분모가 같은 분수의 덧셈

☀ 계산을 하시오.

1 $\dfrac{1}{8} + \dfrac{4}{8} = \dfrac{\boxed{5}}{8}$

분자끼리의 합
분모는 그대로

분모가 같으므로 분자끼리의 합을 구해 봐.

2 $\dfrac{4}{11} + \dfrac{5}{11}$

3 $\dfrac{3}{14} + \dfrac{6}{14}$

4 $\dfrac{8}{15} + \dfrac{11}{15}$

5 $2\dfrac{5}{6} + 3\dfrac{2}{6}$

6 $4\dfrac{7}{9} + 2\dfrac{4}{9}$

7 $3\dfrac{11}{14} + 1\dfrac{6}{14}$

8 $1\dfrac{14}{17} + 2\dfrac{15}{17}$

2 분모가 같은 분수의 뺄셈

☀ 계산을 하시오.

1 $\dfrac{9}{14} - \dfrac{6}{14} = \dfrac{\boxed{3}}{14}$

분자끼리의 차
분모는 그대로

분모가 같으므로 분자끼리의 차를 구해 봐.

2 $\dfrac{17}{23} - \dfrac{10}{23}$

3 $2\dfrac{3}{8} - \dfrac{4}{8}$

4 $3 - 2\dfrac{3}{5}$

5 $5 - 1\dfrac{7}{10}$

6 $3\dfrac{5}{16} - 1\dfrac{10}{16}$

7 $8\dfrac{8}{21} - 2\dfrac{13}{21}$

8 $6\dfrac{4}{27} - 3\dfrac{14}{27}$

3 최소공배수

☀ 두 수의 최소공배수를 구하시오.

1
| 8 | 12 |

두 수를 공통으로 나눈 수와
나머지 수들의 곱을 구해 봐.

$$
\begin{array}{r|ll}
2 & 8 & 12 \\
\hline
2 & 4 & 6 \\
\hline
& 2 & 3
\end{array}
$$

8과 12의 최소공배수

⇨ 최소공배수: $\boxed{2} \times \boxed{2} \times 2 \times 3 = \boxed{24}$
└─ 공통된 부분은 한 번만 씁니다.

2
| 6 | 9 | ⇨ ( )

3
| 15 | 20 | ⇨ ( )

4
| 14 | 21 | ⇨ ( )

5
| 18 | 27 | ⇨ ( )

6
| 36 | 24 | ⇨ ( )

7
| 24 | 32 | ⇨ ( )

4 분수의 통분

☀ 두 분모의 최소공배수를 공통분모로 하여 통분하시오.

1 $\left(\dfrac{3}{4}, \dfrac{7}{10} \right)$

최소공배수를
공통분모로 하여 통분하면
수가 커지지 않아
계산이 간편해져.

$\Rightarrow \left(\dfrac{3 \times \boxed{5}}{4 \times \boxed{5}}, \dfrac{7 \times \boxed{2}}{10 \times \boxed{2}} \right)$

$\Rightarrow \left(\dfrac{\boxed{15}}{\boxed{20}}, \dfrac{\boxed{14}}{\boxed{20}} \right)$

2 $\left(\dfrac{4}{5}, \dfrac{3}{8} \right) \Rightarrow \left(\qquad \right)$

3 $\left(\dfrac{2}{7}, \dfrac{10}{21} \right) \Rightarrow \left(\qquad \right)$

4 $\left(\dfrac{5}{8}, \dfrac{11}{18} \right) \Rightarrow \left(\qquad \right)$

5 $\left(\dfrac{7}{12}, \dfrac{9}{16} \right) \Rightarrow \left(\qquad \right)$

6 $\left(\dfrac{5}{14}, \dfrac{16}{35} \right) \Rightarrow \left(\qquad \right)$

7 $\left(\dfrac{3}{10}, \dfrac{5}{24} \right) \Rightarrow \left(\qquad \right)$

5
분수의 덧셈과 뺄셈

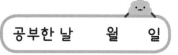

❋ 두 분모의 곱을 공통분모로 하여 통분한 후 계산하시오. [1~4]

분모와 분자에
같은 수를 곱해야 하는
것에 주의해.

1 $\dfrac{1}{4}+\dfrac{3}{7}=\dfrac{1\times\boxed{7}}{4\times\boxed{7}}+\dfrac{3\times\boxed{4}}{7\times\boxed{4}}=\dfrac{\boxed{7}}{28}+\dfrac{\boxed{12}}{28}=\dfrac{\boxed{19}}{28}$

└ 두 분모 4와 7의 곱 ┘

2 $\dfrac{1}{3}+\dfrac{4}{9}=\dfrac{1\times\boxed{}}{3\times\boxed{}}+\dfrac{4\times\boxed{}}{9\times\boxed{}}=\dfrac{\boxed{}}{27}+\dfrac{\boxed{}}{27}=\dfrac{\boxed{}}{27}=\dfrac{\boxed{}}{9}$

3 $\dfrac{1}{2}+\dfrac{3}{8}=\dfrac{1\times\boxed{}}{2\times\boxed{}}+\dfrac{3\times\boxed{}}{8\times\boxed{}}=\dfrac{\boxed{}}{16}+\dfrac{\boxed{}}{16}=\dfrac{\boxed{}}{16}=\dfrac{\boxed{}}{8}$

4 $\dfrac{1}{6}+\dfrac{3}{10}=\dfrac{1\times\boxed{}}{6\times\boxed{}}+\dfrac{3\times\boxed{}}{10\times\boxed{}}=\dfrac{\boxed{}}{60}+\dfrac{\boxed{}}{60}=\dfrac{\boxed{}}{60}=\dfrac{\boxed{}}{15}$

❋ 계산을 하시오. [5~12]

5 $\dfrac{3}{14}+\dfrac{1}{2}$

6 $\dfrac{3}{4}+\dfrac{1}{6}$

7 $\dfrac{2}{5}+\dfrac{3}{10}$

8 $\dfrac{1}{6}+\dfrac{4}{9}$

9 $\dfrac{3}{8}+\dfrac{5}{12}$

10 $\dfrac{2}{9}+\dfrac{4}{15}$

11 $\dfrac{3}{4}+\dfrac{3}{16}$

12 $\dfrac{7}{10}+\dfrac{1}{12}$

2 받아올림이 없는 진분수의 덧셈 (2)

☀ 두 분모의 최소공배수를 공통분모로 하여 통분한 후 계산하시오. [1~4]

1   $\dfrac{2}{3}+\dfrac{1}{6}=\dfrac{2\times\boxed{2}}{3\times\boxed{2}}+\dfrac{1}{6}=\dfrac{\boxed{4}}{6}+\dfrac{\boxed{1}}{6}=\dfrac{\boxed{5}}{6}$

3과 6의 최소공배수

공통분모를 공배수 중
가장 작은 수로
나타내면 돼.

2   $\dfrac{1}{8}+\dfrac{7}{10}=\dfrac{1\times\boxed{}}{8\times\boxed{}}+\dfrac{7\times\boxed{}}{10\times\boxed{}}=\dfrac{\boxed{}}{40}+\dfrac{\boxed{}}{40}=\dfrac{\boxed{}}{40}$

3   $\dfrac{1}{6}+\dfrac{4}{9}=\dfrac{1\times\boxed{}}{6\times\boxed{}}+\dfrac{4\times\boxed{}}{9\times\boxed{}}=\dfrac{\boxed{}}{18}+\dfrac{\boxed{}}{18}=\dfrac{\boxed{}}{18}$

4   $\dfrac{5}{12}+\dfrac{5}{18}=\dfrac{5\times\boxed{}}{12\times\boxed{}}+\dfrac{5\times\boxed{}}{18\times\boxed{}}=\dfrac{\boxed{}}{36}+\dfrac{\boxed{}}{36}=\dfrac{\boxed{}}{36}$

☀ 계산을 하시오. [5~12]

5   $\dfrac{5}{6}+\dfrac{1}{7}$

9   $\dfrac{1}{4}+\dfrac{9}{22}$

6   $\dfrac{3}{8}+\dfrac{2}{5}$

10   $\dfrac{3}{10}+\dfrac{5}{14}$

7   $\dfrac{2}{9}+\dfrac{5}{18}$

11   $\dfrac{7}{15}+\dfrac{3}{20}$

8   $\dfrac{7}{15}+\dfrac{2}{5}$

12   $\dfrac{3}{10}+\dfrac{7}{20}$

5

분수의 덧셈과 뺄셈

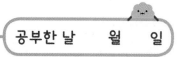

☀ 두 분모의 곱을 공통분모로 하여 통분한 후 계산하시오. [1~4]

1 $\dfrac{2}{3}+\dfrac{7}{9}=\dfrac{2\times\boxed{9}}{3\times\boxed{9}}+\dfrac{7\times\boxed{3}}{9\times\boxed{3}}=\dfrac{\boxed{18}}{27}+\dfrac{\boxed{21}}{27}=\dfrac{\boxed{39}}{27}=\dfrac{\boxed{13}}{9}=\boxed{1\dfrac{4}{9}}$

　　　　　　　　　　　└─ 3과 9의 곱

두 분수를 더해 나온 수가
가분수이면 대분수로
고쳐서 나타내야 해.

2 $\dfrac{4}{7}+\dfrac{3}{5}=\dfrac{4\times\boxed{}}{7\times\boxed{}}+\dfrac{3\times\boxed{}}{5\times\boxed{}}=\dfrac{\boxed{}}{35}+\dfrac{\boxed{}}{35}=\dfrac{\boxed{}}{35}=\boxed{}$

3 $\dfrac{3}{4}+\dfrac{5}{6}=\dfrac{3\times\boxed{}}{4\times\boxed{}}+\dfrac{5\times\boxed{}}{6\times\boxed{}}=\dfrac{\boxed{}}{24}+\dfrac{\boxed{}}{24}=\dfrac{\boxed{}}{24}=\dfrac{\boxed{}}{12}=\boxed{}$

4 $\dfrac{9}{10}+\dfrac{2}{3}=\dfrac{9\times\boxed{}}{10\times\boxed{}}+\dfrac{2\times\boxed{}}{3\times\boxed{}}=\dfrac{\boxed{}}{30}+\dfrac{\boxed{}}{30}=\dfrac{\boxed{}}{30}=\boxed{}$

☀ 계산을 하시오. [5~12]

5 $\dfrac{3}{4}+\dfrac{5}{8}$

6 $\dfrac{1}{2}+\dfrac{7}{10}$

7 $\dfrac{5}{12}+\dfrac{2}{3}$

8 $\dfrac{9}{14}+\dfrac{3}{4}$

9 $\dfrac{5}{6}+\dfrac{9}{20}$

10 $\dfrac{5}{8}+\dfrac{5}{6}$

11 $\dfrac{5}{6}+\dfrac{4}{9}$

12 $\dfrac{1}{8}+\dfrac{11}{12}$

4 받아올림이 있는 진분수의 덧셈(2)

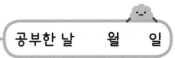

✸ 두 분모의 최소공배수를 공통분모로 하여 통분한 후 계산하시오. [1~4]

1 $\dfrac{1}{2}+\dfrac{7}{10}=\dfrac{1\times\boxed{5}}{2\times\boxed{5}}+\dfrac{7}{10}=\dfrac{\boxed{5}}{10}+\dfrac{\boxed{7}}{10}=\dfrac{\boxed{12}}{10}=\dfrac{\boxed{6}}{5}=\boxed{1\dfrac{1}{5}}$

2와 10의 최소공배수

최소공배수를 공통분모로 하여 통분을 하면 분자끼리의 덧셈이 간편해져.

2 $\dfrac{9}{14}+\dfrac{3}{4}=\dfrac{9\times\square}{14\times\square}+\dfrac{3\times\square}{4\times\square}=\dfrac{\square}{28}+\dfrac{\square}{28}=\dfrac{\square}{28}=\square$

3 $\dfrac{5}{8}+\dfrac{11}{20}=\dfrac{5\times\square}{8\times\square}+\dfrac{11\times\square}{20\times\square}=\dfrac{\square}{40}+\dfrac{\square}{40}=\dfrac{\square}{40}=\square$

4 $\dfrac{8}{15}+\dfrac{17}{20}=\dfrac{8\times\square}{15\times\square}+\dfrac{17\times\square}{20\times\square}=\dfrac{\square}{60}+\dfrac{\square}{60}=\dfrac{\square}{60}=\square$

✸ 계산을 하시오. [5~12]

5 $\dfrac{5}{18}+\dfrac{5}{6}$

6 $\dfrac{2}{3}+\dfrac{11}{24}$

7 $\dfrac{5}{12}+\dfrac{7}{9}$

8 $\dfrac{5}{6}+\dfrac{9}{14}$

9 $\dfrac{3}{4}+\dfrac{13}{22}$

10 $\dfrac{8}{15}+\dfrac{28}{45}$

11 $\dfrac{15}{22}+\dfrac{14}{33}$

12 $\dfrac{4}{9}+\dfrac{17}{30}$

5 분수의 덧셈과 뺄셈

☀ 자연수는 자연수끼리, 분수는 분수끼리 더해서 계산하시오. [1~4]

통분한 다음
자연수는 자연수끼리,
분수는 분수끼리
더하면 돼.

1 $2\dfrac{2}{3}+3\dfrac{1}{5}=2\dfrac{\boxed{10}}{15}+3\dfrac{\boxed{3}}{15}=\underline{(2+3)+\left(\dfrac{\boxed{10}}{15}+\dfrac{\boxed{3}}{15}\right)}=\boxed{5\dfrac{13}{15}}$

자연수는 자연수끼리, 분수는 분수끼리 계산

2 $1\dfrac{1}{6}+3\dfrac{4}{9}=1\dfrac{3}{\boxed{}}+3\dfrac{8}{\boxed{}}=(1+3)+\left(\dfrac{3}{\boxed{}}+\dfrac{8}{\boxed{}}\right)=\boxed{}$

3 $2\dfrac{2}{7}+1\dfrac{1}{3}=2\dfrac{\boxed{}}{\boxed{}}+1\dfrac{\boxed{}}{\boxed{}}=(2+\boxed{})+\left(\dfrac{\boxed{}}{\boxed{}}+\dfrac{\boxed{}}{\boxed{}}\right)=\boxed{}$

4 $3\dfrac{1}{4}+2\dfrac{7}{10}=3\dfrac{\boxed{}}{\boxed{}}+2\dfrac{\boxed{}}{\boxed{}}=(3+\boxed{})+\left(\dfrac{\boxed{}}{\boxed{}}+\dfrac{\boxed{}}{\boxed{}}\right)=\boxed{}$

☀ 계산을 하시오. [5~12]

5 $1\dfrac{1}{2}+3\dfrac{2}{7}$

6 $3\dfrac{1}{4}+2\dfrac{2}{3}$

7 $5\dfrac{1}{3}+2\dfrac{3}{8}$

8 $2\dfrac{3}{8}+1\dfrac{3}{11}$

9 $4\dfrac{1}{6}+1\dfrac{5}{9}$

10 $2\dfrac{7}{10}+3\dfrac{2}{15}$

11 $5\dfrac{1}{12}+2\dfrac{5}{8}$

12 $1\dfrac{5}{16}+2\dfrac{5}{24}$

✸ 대분수를 가분수로 나타내어 계산하시오. [1~4]

1 $1\dfrac{1}{6}+2\dfrac{4}{9}=\dfrac{\boxed{7}}{6}+\dfrac{\boxed{22}}{9}=\dfrac{\boxed{21}}{18}+\dfrac{\boxed{44}}{18}=\dfrac{\boxed{65}}{18}=\boxed{3\dfrac{11}{18}}$

분수 부분의 합이 가분수이면
대분수로 고칩니다.

대분수를 가분수로
고친 후에 통분하여
더해 봐.

2 $3\dfrac{2}{3}+1\dfrac{4}{21}=\dfrac{\square}{3}+\dfrac{\square}{21}=\dfrac{\square}{21}+\dfrac{\square}{21}=\dfrac{\square}{21}=\dfrac{\square}{7}=\square$

3 $5\dfrac{4}{9}+3\dfrac{2}{15}=\dfrac{\square}{9}+\dfrac{\square}{15}=\dfrac{\square}{45}+\dfrac{\square}{\square}=\dfrac{\square}{\square}=\square$

4 $2\dfrac{3}{8}+1\dfrac{5}{12}=\dfrac{\square}{8}+\dfrac{\square}{12}=\dfrac{\square}{24}+\dfrac{\square}{\square}=\dfrac{\square}{\square}=\square$

✸ 계산을 하시오. [5~12]

5 $2\dfrac{1}{3}+3\dfrac{3}{8}$

6 $2\dfrac{2}{5}+1\dfrac{1}{6}$

7 $1\dfrac{3}{4}+2\dfrac{1}{6}$

8 $4\dfrac{4}{7}+2\dfrac{1}{9}$

9 $4\dfrac{2}{5}+1\dfrac{2}{15}$

10 $5\dfrac{1}{2}+1\dfrac{2}{11}$

11 $2\dfrac{3}{7}+2\dfrac{1}{4}$

12 $3\dfrac{7}{15}+2\dfrac{3}{10}$

5

분수의 덧셈과 뺄셈

☀ 자연수는 자연수끼리, 분수는 분수끼리 더해서 계산하시오. [1~3]

진분수끼리의 합이 가분수이면 가분수를 대분수로 고친 다음 자연수 부분끼리의 계산 결과와 더하면 돼.

1 $2\frac{1}{4}+3\frac{7}{8}=2\frac{\boxed{2}}{8}+3\frac{\boxed{7}}{8}=(2+\boxed{3})+\left(\frac{\boxed{2}}{8}+\frac{\boxed{7}}{8}\right)$

자연수는 자연수끼리, 분수는 분수끼리 계산

$=\boxed{5}+\frac{\boxed{9}}{8}=\boxed{5}+1\frac{\boxed{1}}{8}=\boxed{6\frac{1}{8}}$

2 $1\frac{4}{5}+2\frac{6}{7}=1\frac{\boxed{}}{35}+2\frac{\boxed{}}{35}=(1+\boxed{})+\left(\frac{\boxed{}}{35}+\frac{\boxed{}}{35}\right)$

$=\boxed{}+\frac{\boxed{}}{35}=\boxed{}+1\frac{\boxed{}}{35}=\boxed{}$

3 $3\frac{7}{10}+2\frac{11}{15}=3\frac{\boxed{}}{30}+2\frac{\boxed{}}{30}=(3+\boxed{})+\left(\frac{\boxed{}}{30}+\frac{\boxed{}}{30}\right)$

$=\boxed{}+\frac{\boxed{}}{30}=\boxed{}+1\frac{\boxed{}}{30}=\boxed{}$

☀ 계산을 하시오. [4~11]

4 $1\frac{3}{4}+2\frac{2}{5}$

5 $3\frac{5}{8}+4\frac{7}{10}$

6 $2\frac{5}{7}+1\frac{9}{14}$

7 $1\frac{5}{6}+3\frac{7}{20}$

8 $4\frac{4}{7}+2\frac{5}{6}$

9 $2\frac{7}{9}+5\frac{7}{12}$

10 $5\frac{3}{4}+2\frac{7}{10}$

11 $3\frac{17}{24}+5\frac{9}{16}$

☀ 대분수를 가분수로 나타내어 계산하시오. [1~4]

1 $1\dfrac{2}{3}+2\dfrac{5}{6}=\dfrac{\boxed{5}}{3}+\dfrac{\boxed{17}}{6}=\dfrac{\boxed{10}}{6}+\dfrac{\boxed{17}}{6}=\dfrac{\boxed{27}}{6}=\dfrac{\boxed{9}}{2}=\boxed{4\dfrac{1}{2}}$

대분수 → 가분수   가분수 → 대분수

대분수를 가분수로
고친 다음 통분하면
받아올림 없이 바로
계산이 가능해.

2 $1\dfrac{2}{5}+3\dfrac{9}{10}=\dfrac{\boxed{}}{5}+\dfrac{\boxed{}}{10}=\dfrac{\boxed{}}{10}+\dfrac{\boxed{}}{10}=\dfrac{\boxed{}}{10}=\boxed{}$

3 $2\dfrac{5}{6}+5\dfrac{3}{4}=\dfrac{\boxed{}}{6}+\dfrac{\boxed{}}{4}=\dfrac{\boxed{}}{12}+\dfrac{\boxed{}}{12}=\dfrac{\boxed{}}{12}=\boxed{}$

4 $2\dfrac{7}{8}+2\dfrac{11}{12}=\dfrac{\boxed{}}{8}+\dfrac{\boxed{}}{12}=\dfrac{\boxed{}}{24}+\dfrac{\boxed{}}{24}=\dfrac{\boxed{}}{24}=\boxed{}$

☀ 계산을 하시오. [5~12]

5 $4\dfrac{2}{3}+2\dfrac{3}{4}$

6 $2\dfrac{1}{3}+3\dfrac{8}{9}$

7 $2\dfrac{4}{5}+1\dfrac{5}{8}$

8 $1\dfrac{19}{21}+2\dfrac{5}{6}$

9 $2\dfrac{3}{4}+1\dfrac{5}{9}$

10 $1\dfrac{5}{6}+1\dfrac{4}{7}$

11 $3\dfrac{7}{10}+1\dfrac{7}{12}$

12 $4\dfrac{11}{15}+2\dfrac{7}{10}$

5

분수의 덧셈과 뺄셈

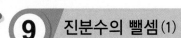

☀ 두 분모의 곱을 공통분모로 하여 통분한 후 계산하시오. [1~4]

1 $\dfrac{5}{6}-\dfrac{4}{5}=\dfrac{5\times5}{6\times\boxed{5}}-\dfrac{4\times\boxed{6}}{5\times\boxed{6}}=\dfrac{25}{\boxed{30}}-\dfrac{\boxed{24}}{\boxed{30}}=\dfrac{\boxed{1}}{\boxed{30}}$

└ 분자에 5를 곱했으므로 분모에도 5를 곱합니다.

> 분수를 통분할 때 분모에 곱한 수를 잊지 말고 분자에도 곱해야 해.

2 $\dfrac{1}{2}-\dfrac{3}{11}=\dfrac{1\times\boxed{}}{2\times\boxed{}}-\dfrac{3\times\boxed{}}{11\times\boxed{}}=\dfrac{\boxed{}}{\boxed{}}-\dfrac{\boxed{}}{\boxed{}}=\boxed{}$

3 $\dfrac{6}{7}-\dfrac{2}{3}=\dfrac{6\times\boxed{}}{7\times\boxed{}}-\dfrac{2\times\boxed{}}{3\times\boxed{}}=\dfrac{\boxed{}}{\boxed{}}-\dfrac{\boxed{}}{\boxed{}}=\boxed{}$

4 $\dfrac{7}{9}-\dfrac{5}{11}=\dfrac{7\times\boxed{}}{9\times\boxed{}}-\dfrac{5\times\boxed{}}{11\times\boxed{}}=\dfrac{\boxed{}}{\boxed{}}-\dfrac{\boxed{}}{\boxed{}}=\boxed{}$

☀ 계산을 하시오. [5~12]

5 $\dfrac{1}{3}-\dfrac{2}{9}$

6 $\dfrac{5}{6}-\dfrac{4}{7}$

7 $\dfrac{9}{10}-\dfrac{7}{9}$

8 $\dfrac{1}{2}-\dfrac{5}{14}$

9 $\dfrac{3}{4}-\dfrac{5}{18}$

10 $\dfrac{7}{10}-\dfrac{5}{8}$

11 $\dfrac{5}{12}-\dfrac{1}{4}$

12 $\dfrac{8}{15}-\dfrac{1}{6}$

☀ 두 분모의 최소공배수를 공통분모로 하여 통분한 후 계산하시오. [1~4]

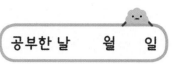

최소공배수로 통분한 분모는 그대로 두고 분자끼리 빼면 돼.

1 $\dfrac{7}{12} - \dfrac{3}{8} = \dfrac{7 \times 2}{12 \times \boxed{2}} - \dfrac{3 \times \boxed{3}}{8 \times \boxed{3}} = \dfrac{14}{\boxed{24}} - \dfrac{\boxed{9}}{\boxed{24}} = \boxed{\dfrac{5}{24}}$

12와 8의 최소공배수

2 $\dfrac{13}{16} - \dfrac{7}{12} = \dfrac{13 \times \square}{16 \times \square} - \dfrac{7 \times \square}{12 \times \square} = \dfrac{\square}{\square} - \dfrac{\square}{\square} = \dfrac{\square}{\square}$

3 $\dfrac{25}{27} - \dfrac{5}{6} = \dfrac{25 \times \square}{27 \times \square} - \dfrac{5 \times \square}{6 \times \square} = \dfrac{\square}{\square} - \dfrac{\square}{\square} = \dfrac{\square}{\square}$

4 $\dfrac{11}{30} - \dfrac{2}{9} = \dfrac{11 \times \square}{30 \times \square} - \dfrac{2 \times \square}{9 \times \square} = \dfrac{\square}{\square} - \dfrac{\square}{\square} = \dfrac{\square}{\square}$

☀ 계산을 하시오. [5~12]

5 $\dfrac{4}{5} - \dfrac{8}{25}$

6 $\dfrac{11}{12} - \dfrac{7}{9}$

7 $\dfrac{9}{10} - \dfrac{19}{30}$

8 $\dfrac{5}{14} - \dfrac{4}{21}$

9 $\dfrac{5}{6} - \dfrac{7}{15}$

10 $\dfrac{3}{4} - \dfrac{9}{14}$

11 $\dfrac{7}{8} - \dfrac{3}{10}$

12 $\dfrac{13}{20} - \dfrac{4}{15}$

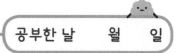

공부한 날   월   일

❋ □ 안에 알맞은 수를 써넣으시오. [1~4]

1 $1\dfrac{3}{4}-\dfrac{1}{5}=1\dfrac{\boxed{15}}{20}-\dfrac{\boxed{4}}{20}=\boxed{1}\dfrac{\boxed{11}}{20}$

분수 계산에서 받아내림이 없으면 자연수는 그대로 써 줍니다.

분수끼리 계산할 수 없으면 자연수 부분에서 받아내림해야 해.

2 $2\dfrac{2}{9}-\dfrac{5}{6}=2\dfrac{\Box}{18}-\dfrac{\Box}{18}=1\dfrac{\Box}{18}-\dfrac{\Box}{18}=\Box\dfrac{\Box}{18}$

3 $4\dfrac{2}{15}-\dfrac{1}{3}=4\dfrac{\Box}{15}-\dfrac{\Box}{15}=\Box\dfrac{\Box}{15}-\dfrac{\Box}{15}=\Box\dfrac{\Box}{15}=\Box\dfrac{\Box}{5}$

4 $3\dfrac{5}{12}-\dfrac{5}{8}=3\dfrac{\Box}{24}-\dfrac{\Box}{24}=\Box\dfrac{\Box}{24}-\dfrac{\Box}{24}=\Box\dfrac{\Box}{24}$

❋ 계산을 하시오. [5~12]

5 $2\dfrac{2}{3}-\dfrac{9}{14}$

6 $3\dfrac{3}{4}-\dfrac{7}{8}$

7 $5\dfrac{2}{5}-\dfrac{1}{8}$

8 $2\dfrac{5}{6}-\dfrac{3}{10}$

9 $1\dfrac{7}{12}-\dfrac{3}{4}$

10 $4\dfrac{5}{8}-\dfrac{7}{10}$

11 $3\dfrac{8}{15}-\dfrac{7}{9}$

12 $6\dfrac{5}{18}-\dfrac{5}{12}$

☀ □ 안에 알맞은 수를 써넣으시오. [1~4]

1 $4\dfrac{1}{3} - \dfrac{6}{7} = \dfrac{\boxed{13}}{3} - \dfrac{\boxed{6}}{7} = \dfrac{\boxed{91}}{21} - \dfrac{\boxed{18}}{21} = \dfrac{\boxed{73}}{21} = \boxed{3\dfrac{10}{21}}$

대분수 → 가분수   가분수 → 대분수

대분수를 가분수로 고쳐서 계산하면 자연수 부분과 분수 부분을 따로 떼어 계산하지 않아도 돼.

2 $2\dfrac{3}{4} - \dfrac{7}{10} = \dfrac{\boxed{}}{4} - \dfrac{\boxed{}}{10} = \dfrac{\boxed{}}{20} - \dfrac{\boxed{}}{20} = \dfrac{\boxed{}}{20} = \boxed{}$

3 $1\dfrac{4}{9} - \dfrac{5}{18} = \dfrac{\boxed{}}{9} - \dfrac{\boxed{}}{18} = \dfrac{\boxed{}}{18} - \dfrac{\boxed{}}{18} = \dfrac{\boxed{}}{18} = \dfrac{\boxed{}}{6} = \boxed{}$

4 $3\dfrac{5}{8} - \dfrac{11}{14} = \dfrac{\boxed{}}{8} - \dfrac{\boxed{}}{14} = \dfrac{\boxed{}}{56} - \dfrac{\boxed{}}{56} = \dfrac{\boxed{}}{56} = \boxed{}$

☀ 계산을 하시오. [5~12]

5 $6\dfrac{1}{2} - \dfrac{3}{5}$

6 $3\dfrac{3}{14} - \dfrac{6}{7}$

7 $2\dfrac{1}{10} - \dfrac{4}{15}$

8 $1\dfrac{5}{6} - \dfrac{13}{22}$

9 $2\dfrac{2}{5} - \dfrac{4}{9}$

10 $1\dfrac{11}{18} - \dfrac{3}{4}$

11 $3\dfrac{1}{3} - \dfrac{4}{7}$

12 $2\dfrac{8}{11} - \dfrac{1}{2}$

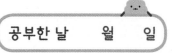

✹ 자연수는 자연수끼리, 분수는 분수끼리 더해서 계산하시오. [1~4]

1 $4\frac{2}{3}-1\frac{1}{2}=4\frac{\boxed{4}}{6}-1\frac{\boxed{3}}{6}=(4-\boxed{1})+\left(\frac{\boxed{4}}{6}-\frac{\boxed{3}}{6}\right)=\boxed{3}+\frac{\boxed{1}}{6}=\boxed{3\frac{1}{6}}$

자연수는 자연수끼리, 분수는 분수끼리 계산

대분수의 뺄셈은 통분한 다음
자연수는 자연수끼리,
분수는 분수끼리 빼면 돼.

2 $3\frac{1}{3}-1\frac{2}{7}=3\frac{\boxed{}}{21}-1\frac{\boxed{}}{21}=(3-\boxed{})+\left(\frac{\boxed{}}{21}-\frac{\boxed{}}{21}\right)=\boxed{}+\frac{\boxed{}}{21}=\boxed{}$

3 $5\frac{3}{4}-2\frac{2}{9}=5\frac{\boxed{}}{36}-2\frac{\boxed{}}{36}=(5-\boxed{})+\left(\frac{\boxed{}}{36}-\frac{\boxed{}}{36}\right)=\boxed{}+\frac{\boxed{}}{36}=\boxed{}$

4 $9\frac{7}{12}-4\frac{11}{30}=9\frac{\boxed{}}{60}-4\frac{\boxed{}}{60}=(9-\boxed{})+\left(\frac{\boxed{}}{60}-\frac{\boxed{}}{60}\right)=\boxed{}+\frac{\boxed{}}{60}=\boxed{}$

✹ 계산을 하시오. [5~12]

5 $3\frac{7}{8}-1\frac{1}{4}$

9 $4\frac{5}{8}-2\frac{2}{5}$

6 $7\frac{5}{7}-3\frac{1}{4}$

10 $5\frac{7}{10}-1\frac{5}{12}$

7 $6\frac{9}{10}-1\frac{1}{12}$

11 $7\frac{11}{25}-5\frac{3}{10}$

8 $8\frac{11}{12}-5\frac{7}{9}$

12 $9\frac{3}{4}-4\frac{7}{18}$

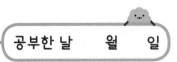

✹ 대분수를 가분수로 나타내어 계산하시오. [1~4]

1 $4\dfrac{5}{6} - 3\dfrac{1}{2} = \dfrac{\boxed{29}}{6} - \dfrac{\boxed{7}}{2} = \dfrac{\boxed{29}}{6} - \dfrac{\boxed{21}}{6} = \dfrac{\boxed{8}}{6} = \dfrac{\boxed{4}}{3} = \boxed{1\dfrac{1}{3}}$

가분수를 대분수로 나타낼 때 약분이 되면 약분을 합니다.

대분수를 가분수로 고친 후에 통분하여 빼면 돼.

2 $3\dfrac{2}{3} - 1\dfrac{1}{5} = \dfrac{\boxed{}}{3} - \dfrac{\boxed{}}{5} = \dfrac{\boxed{}}{15} - \dfrac{\boxed{}}{15} = \dfrac{\boxed{}}{15} = \boxed{}$

3 $6\dfrac{3}{4} - 2\dfrac{2}{7} = \dfrac{\boxed{}}{4} - \dfrac{\boxed{}}{7} = \dfrac{\boxed{}}{28} - \dfrac{\boxed{}}{28} = \dfrac{\boxed{}}{28} = \boxed{}$

4 $5\dfrac{6}{7} - 3\dfrac{3}{5} = \dfrac{\boxed{}}{7} - \dfrac{\boxed{}}{5} = \dfrac{\boxed{}}{35} - \dfrac{\boxed{}}{35} = \dfrac{\boxed{}}{35} = \boxed{}$

✹ 계산을 하시오. [5~12]

5 $6\dfrac{1}{2} - 1\dfrac{1}{3}$

9 $4\dfrac{5}{7} - 2\dfrac{2}{3}$

6 $8\dfrac{3}{5} - 5\dfrac{3}{10}$

10 $3\dfrac{5}{8} - 1\dfrac{1}{6}$

7 $5\dfrac{1}{4} - 1\dfrac{1}{6}$

11 $5\dfrac{7}{9} - 2\dfrac{5}{18}$

8 $9\dfrac{5}{8} - 6\dfrac{2}{5}$

12 $2\dfrac{11}{14} - 1\dfrac{3}{4}$

5

분수의 덧셈과 뺄셈

☀ 자연수는 자연수끼리, 분수는 분수끼리 더해서 계산하시오. [1~3]

> 자연수 1을 분수로 고칩니다.

1 $3\dfrac{1}{2} - 1\dfrac{4}{5} = 3\dfrac{\boxed{5}}{10} - 1\dfrac{\boxed{8}}{10} = 2\dfrac{\boxed{15}}{10} - 1\dfrac{\boxed{8}}{10}$

$= (2 - \boxed{1}) + \left(\dfrac{\boxed{15}}{10} - \dfrac{\boxed{8}}{10}\right) = \boxed{1} + \dfrac{\boxed{7}}{10} = \boxed{1\dfrac{7}{10}}$

> 분수끼리 뺄 수 없으면 자연수에서 진분수로 1을 받아내림하여 진분수를 가분수로 고쳐서 계산해야 해.

2 $5\dfrac{1}{4} - 3\dfrac{2}{5} = 5\dfrac{\boxed{}}{20} - 3\dfrac{\boxed{}}{20} = 4\dfrac{\boxed{}}{20} - 3\dfrac{\boxed{}}{20}$

$= (4 - \boxed{}) + \left(\dfrac{\boxed{}}{20} - \dfrac{\boxed{}}{20}\right) = \boxed{} + \dfrac{\boxed{}}{20} = \boxed{}$

3 $6\dfrac{2}{7} - 2\dfrac{5}{6} = 6\dfrac{\boxed{}}{42} - 2\dfrac{\boxed{}}{42} = 5\dfrac{\boxed{}}{42} - 2\dfrac{\boxed{}}{42}$

$= (5 - \boxed{}) + \left(\dfrac{\boxed{}}{42} - \dfrac{\boxed{}}{42}\right) = \boxed{} + \dfrac{\boxed{}}{42} = \boxed{}$

☀ 계산을 하시오. [4~11]

4 $10\dfrac{1}{6} - 4\dfrac{3}{8}$

5 $5\dfrac{2}{9} - 2\dfrac{7}{12}$

6 $9\dfrac{1}{8} - 5\dfrac{7}{18}$

7 $8\dfrac{5}{12} - 3\dfrac{11}{15}$

8 $4\dfrac{2}{5} - 1\dfrac{13}{25}$

9 $6\dfrac{1}{4} - 2\dfrac{7}{10}$

10 $7\dfrac{5}{18} - 5\dfrac{5}{6}$

11 $5\dfrac{7}{30} - 1\dfrac{11}{20}$

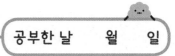

☀ **대분수를 가분수로 나타내어 계산하시오. [1~4]**

1 $4\frac{1}{10} - 2\frac{1}{2} = \frac{\boxed{41}}{10} - \frac{\boxed{5}}{2} = \frac{\boxed{41}}{10} - \frac{\boxed{25}}{10} = \frac{\boxed{16}}{10} = \frac{\boxed{8}}{5} = \boxed{1\frac{3}{5}}$

대분수 → 가분수   가분수 → 대분수

대분수를 가분수로
고친 다음 통분하면
자연수에서 받아내림이 없이
바로 계산이 가능해.

2 $5\frac{1}{4} - 3\frac{2}{3} = \frac{\boxed{}}{4} - \frac{\boxed{}}{3} = \frac{\boxed{}}{12} - \frac{\boxed{}}{12} = \frac{\boxed{}}{12} = \boxed{}$

3 $6\frac{1}{5} - 4\frac{2}{3} = \frac{\boxed{}}{5} - \frac{\boxed{}}{3} = \frac{\boxed{}}{15} - \frac{\boxed{}}{15} = \frac{\boxed{}}{15} = \boxed{}$

4 $3\frac{1}{10} - 1\frac{7}{8} = \frac{\boxed{}}{10} - \frac{\boxed{}}{8} = \frac{\boxed{}}{40} - \frac{\boxed{}}{40} = \frac{\boxed{}}{40} = \boxed{}$

☀ **계산을 하시오. [5~12]**

5 $6\frac{1}{2} - 3\frac{4}{7}$

6 $8\frac{1}{3} - 5\frac{7}{9}$

7 $5\frac{2}{7} - 1\frac{2}{3}$

8 $4\frac{7}{12} - 1\frac{4}{5}$

9 $3\frac{1}{6} - 1\frac{5}{8}$

10 $4\frac{3}{10} - 2\frac{8}{15}$

11 $3\frac{8}{15} - 1\frac{5}{6}$

12 $2\frac{7}{24} - 1\frac{5}{16}$

공부한 날   월   일

☀ 빈 곳에 알맞은 수를 써넣으시오.

1

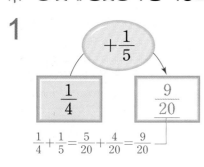

분모가 다른 진분수는 통분을 한 후에 더해야 해.

$\frac{1}{4} + \frac{1}{5} = \frac{5}{20} + \frac{4}{20} = \frac{9}{20}$

2

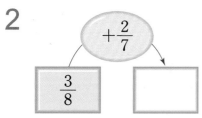

3

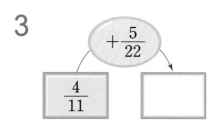

4

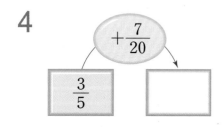

5

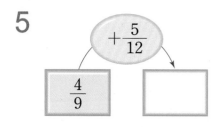

6

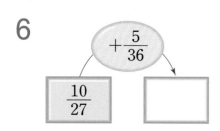

7

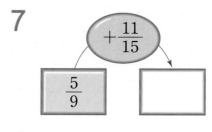

8

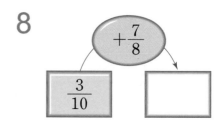

9

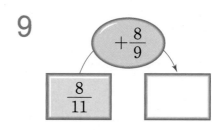

10

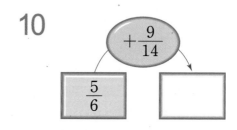

11

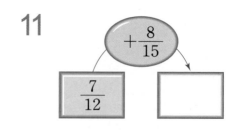

12

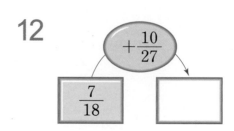

☀ 빈 곳에 알맞은 수를 써넣으시오.

1

$1\dfrac{1}{6}$ ⇨ $+2\dfrac{3}{4}$ ⇨ $3\dfrac{11}{12}$

$1\dfrac{1}{6}+2\dfrac{3}{4}=\dfrac{7}{6}+\dfrac{11}{4}=\dfrac{14}{12}+\dfrac{33}{12}=\dfrac{47}{12}=3\dfrac{11}{12}$

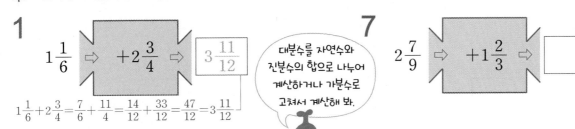

대분수를 자연수와 진분수의 합으로 나누어 계산하거나 가분수로 고쳐서 계산해 봐.

7

$2\dfrac{7}{9}$ ⇨ $+1\dfrac{2}{3}$ ⇨ ☐

2

$4\dfrac{2}{9}$ ⇨ $+1\dfrac{3}{5}$ ⇨ ☐

8

$4\dfrac{9}{10}$ ⇨ $+2\dfrac{1}{6}$ ⇨ ☐

3

$2\dfrac{3}{5}$ ⇨ $+4\dfrac{7}{10}$ ⇨ ☐

9

$1\dfrac{13}{18}$ ⇨ $+3\dfrac{7}{12}$ ⇨ ☐

4

$3\dfrac{1}{6}$ ⇨ $+5\dfrac{5}{8}$ ⇨ ☐

10

$6\dfrac{5}{8}$ ⇨ $+1\dfrac{11}{12}$ ⇨ ☐

5

$3\dfrac{7}{15}$ ⇨ $+1\dfrac{3}{10}$ ⇨ ☐

11

$3\dfrac{15}{28}$ ⇨ $+2\dfrac{5}{8}$ ⇨ ☐

6

$5\dfrac{1}{2}$ ⇨ $+1\dfrac{9}{11}$ ⇨ ☐

12

$4\dfrac{5}{12}$ ⇨ $+6\dfrac{11}{20}$ ⇨ ☐

5

분수의 덧셈과 뺄셈

☀ 빈 곳에 알맞은 수를 써넣으시오.

1
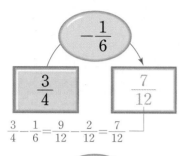

두 분수를 통분하면 통분한 분모는 그대로 두고 분자끼리 빼면 돼.

$\dfrac{3}{4} - \dfrac{1}{6} = \dfrac{9}{12} - \dfrac{2}{12} = \dfrac{7}{12}$

7
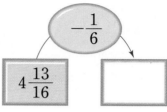

2
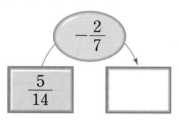

8
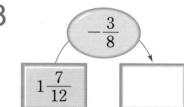

3
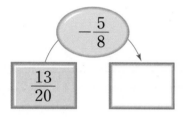

9
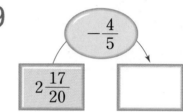

4
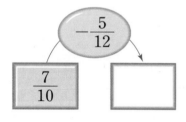

10
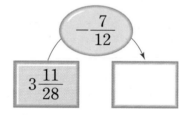

5
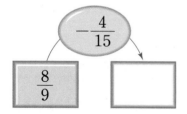

11
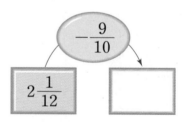

6
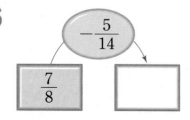

12
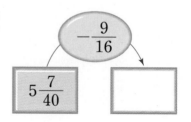

☀ 빈 곳에 알맞은 수를 써넣으시오.

1

$3\frac{4}{5} \Rightarrow \boxed{-1\frac{1}{6}} \Rightarrow \boxed{2\frac{19}{30}}$

대분수를 자연수와
진분수로 나누어 차를
계산하거나 가분수로
고쳐서 계산해 봐.

$3\frac{4}{5}-1\frac{1}{6}=3\frac{24}{30}-1\frac{5}{30}=2\frac{19}{30}$

7

$4\frac{1}{6} \Rightarrow \boxed{-1\frac{3}{8}} \Rightarrow \boxed{}$

2

$7\frac{1}{3} \Rightarrow \boxed{-4\frac{1}{4}} \Rightarrow \boxed{}$

8

$7\frac{1}{8} \Rightarrow \boxed{-5\frac{3}{4}} \Rightarrow \boxed{}$

3

$6\frac{5}{9} \Rightarrow \boxed{-2\frac{1}{3}} \Rightarrow \boxed{}$

9

$5\frac{2}{9} \Rightarrow \boxed{-2\frac{14}{27}} \Rightarrow \boxed{}$

4

$8\frac{7}{8} \Rightarrow \boxed{-3\frac{2}{5}} \Rightarrow \boxed{}$

10

$9\frac{5}{12} \Rightarrow \boxed{-6\frac{13}{18}} \Rightarrow \boxed{}$

5

$5\frac{1}{6} \Rightarrow \boxed{-3\frac{7}{15}} \Rightarrow \boxed{}$

11

$11\frac{3}{16} \Rightarrow \boxed{-6\frac{7}{8}} \Rightarrow \boxed{}$

6

$3\frac{5}{12} \Rightarrow \boxed{-1\frac{8}{9}} \Rightarrow \boxed{}$

12

$8\frac{3}{20} \Rightarrow \boxed{-3\frac{4}{15}} \Rightarrow \boxed{}$

5

분수의 덧셈과 뺄셈

1 계산을 하시오.

(1) $\dfrac{2}{5}+\dfrac{1}{6}$

(2) $2\dfrac{3}{4}+1\dfrac{9}{10}$

두 분모의 최소공배수를 공통분모로 통분한 후 더합니다.

2 계산을 하시오.

(1) $\dfrac{1}{2}-\dfrac{3}{11}$

(2) $5\dfrac{15}{16}-1\dfrac{7}{10}$

3 가장 큰 분수와 가장 작은 분수의 합을 구하시오.

$$2\dfrac{3}{11} \qquad 1\dfrac{7}{9} \qquad 1\dfrac{1}{3}$$

(   )

먼저 자연수 부분을 비교하여 가장 큰 분수를 찾고 자연수 부분이 같으면 통분하여 크기를 비교합니다.

4 계산 결과를 비교하여 ○ 안에 >, =, <를 알맞게 써넣으시오.

$$4\dfrac{2}{3}+3\dfrac{1}{2} \quad \bigcirc \quad 1\dfrac{4}{5}+6\dfrac{8}{15}$$

두 분수의 크기를 비교하려면 통분해야 해.

5 계산 결과가 더 큰 것의 기호를 쓰시오.

$$㉠\ 6\dfrac{1}{4}-3\dfrac{5}{6} \qquad ㉡\ 4\dfrac{7}{12}-1\dfrac{7}{9}$$

(   )

분수끼리 계산할 수 없으면 자연수 부분에서 받아내림하여 계산합니다.

6 직사각형의 가로와 세로의 차를 구하시오.

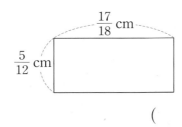

(   )

통분을 하면 가로가 세로보다 더 길다는 걸 알 수 있어. 그래서 가로에서 세로를 빼면 돼.

7 수경이는 $\frac{4}{5}$ 시간 동안 수학을 공부하고 $\frac{7}{8}$ 시간 동안 국어를 공부했습니다. 수경이가 공부한 시간은 모두 몇 시간인지 분수로 나타내시오.

(   )

• 수경이가 수학을 공부한 시간과 국어를 공부한 시간을 더합니다.

8 정은이는 선물을 포장하려고 색 테이프를 두 도막으로 잘랐습니다. 자른 색 테이프의 두 도막의 길이가 각각 $2\frac{3}{7}$ m, $1\frac{2}{3}$ m라면 자르기 전의 색 테이프의 길이는 몇 m입니까?

(   )

• 자른 색 테이프의 두 도막의 길이를 더하면 자르기 전 색 테이프의 길이를 구할 수 있습니다.

9 물통에 들어 있던 물 $7\frac{2}{5}$ L 중 $2\frac{3}{10}$ L를 꽃밭에 뿌렸습니다. 물통에 남아 있는 물은 몇 L입니까?

(   )

10 어떤 수에서 $4\frac{1}{6}$ 을 빼야 할 것을 잘못하여 $4\frac{1}{8}$ 을 더했더니 $10\frac{5}{12}$ 가 되었습니다. 바르게 계산하면 얼마입니까?

(   )

• 어떤 수를 먼저 구한 다음 어떤 수를 이용하여 바르게 계산한 값을 구합니다.

QR 코드를 찍어 보세요.

문제 생성기 새로운 문제를 계속 풀 수 있어요.

5 분수의 덧셈과 뺄셈

6 다각형의 둘레와 넓이

제**6**화 펭귄 왕자와의 이별

조금 있으면 펭귄 왕자가 고향으로 돌아가잖아.

아쉬워~.

우리도 뭔가 선물을 준비해야 하지 않을까?

어떤 선물?

우리 사진을 찍어서 액자에 넣어 줄까?

좋아! 추억도 남기고……

액자의 크기는?

글쎄! 사진의 둘레나 넓이를 알아야 할텐데.

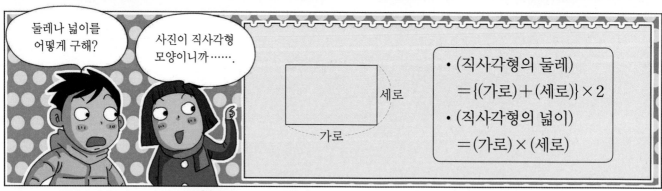

둘레나 넓이를 어떻게 구해?

사진이 직사각형 모양이니까……

세로

가로

- (직사각형의 둘레)
 $=\{(가로)+(세로)\}\times 2$
- (직사각형의 넓이)
 $=(가로)\times(세로)$

아, 그럼 거기에 맞는 액자를 사면 되겠구나.

맞아.

근데 사진만 달랑 주긴 좀 그렇지 않아?

그럼 또 뭐가 있을까?

이미 배운 내용	이번에 배울 내용	앞으로 배울 내용
[4-2 사각형] • 사다리꼴, 평행사변형, 마름모, 여러 가지 사각형 **[4-2 다각형]** • 다각형, 정다각형	• 정다각형, 사각형의 둘레 • $1\,\text{cm}^2$, $1\,\text{m}^2$, $1\,\text{km}^2$ • 직사각형, 평행사변형, 삼각형, 마름모, 사다리꼴의 넓이	**[6-1 직육면체의 부피와 겉넓이]** • 직육면체, 정육면체의 부피 • $1\,\text{m}^3$ • 직육면체, 정육면체의 겉넓이

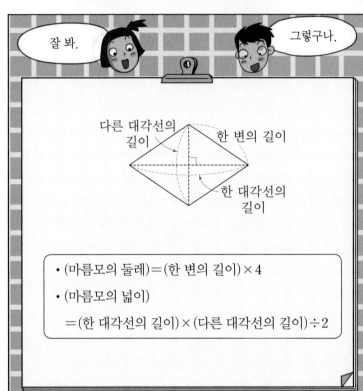

• (마름모의 둘레)＝(한 변의 길이)×4

• (마름모의 넓이)
  ＝(한 대각선의 길이)×(다른 대각선의 길이)÷2

배운 것 확인하기

1 직사각형의 성질 알아보기

☀ 직사각형입니다. □ 안에 알맞은 수를 써넣으시오.

1

(변 ㄴㄷ)=(변 ㄱㄹ)=2 cm

2
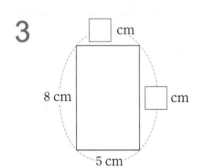

3
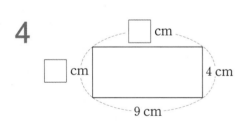

4
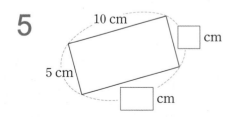

5

2 정사각형의 성질 알아보기

☀ 정사각형입니다. □ 안에 알맞은 수를 써넣으시오.

1
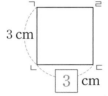

(변 ㄴㄷ)=(변 ㄱㄴ)=3 cm

2
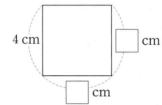

3
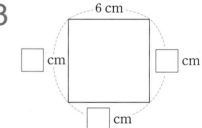

4
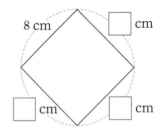

5

☀ 평행사변형입니다. □ 안에 알맞은 수를 써넣으시오.

1

평행사변형은 마주 보는 두 변의 길이가 같아.

(변 ㄴㄷ)=(변 ㄱㄹ)=2 cm

2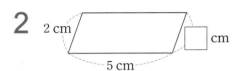

3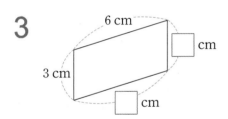

4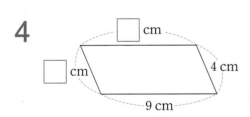

5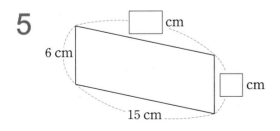

☀ 마름모입니다. □ 안에 알맞은 수를 써넣으시오.

1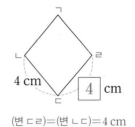

마름모는 네 변의 길이가 모두 같아.

(변 ㄷㄹ)=(변 ㄴㄷ)=4 cm

2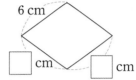

3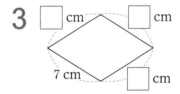

4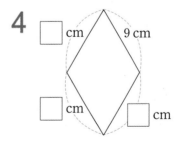

5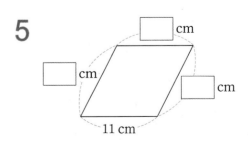

6

다각형의 둘레와 넓이

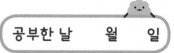
공부한 날   월   일

☀ **정다각형의 둘레를 구하시오.**

1
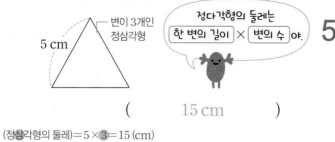

변이 3개인
정삼각형

정다각형의 둘레는
한 변의 길이 × 변의 수 야.

5 cm

(15 cm   )

(정삼각형의 둘레)=5×③=15 (cm)

5
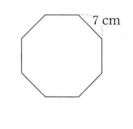

8 cm

(   )

2

6 cm

(   )

6
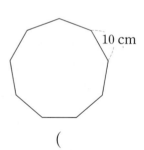

7 cm

(   )

3
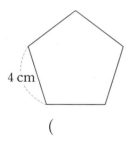

4 cm

(   )

7

10 cm

(   )

4
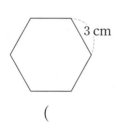

3 cm

(   )

8
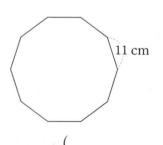

11 cm

(   )

☀ **정다각형의 둘레가 다음과 같을 때 □ 안에 알맞은 수를 써넣으시오.**

1 둘레: 12 cm

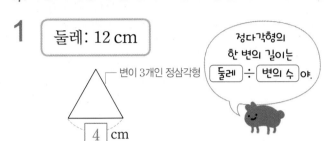

정다각형의 한 변의 길이는 둘레 ÷ 변의 수 야.

변이 3개인 정삼각형

4 cm

(정삼각형의 한 변의 길이)＝12÷3＝4 (cm)

5 둘레: 63 cm

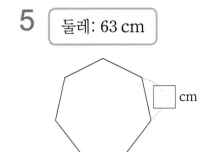

□ cm

2 둘레: 20 cm

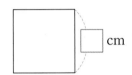

□ cm

6 둘레: 48 cm

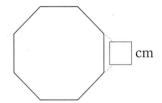

□ cm

3 둘레: 25 cm

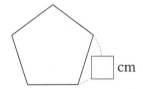

□ cm

7 둘레: 72 cm

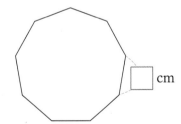

□ cm

4 둘레: 42 cm

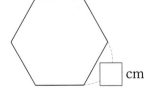

□ cm

8 둘레: 90 cm

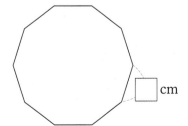

□ cm

☀ **직사각형의 둘레를 구하시오.**

1

세로
4 cm

8 cm
가로

직사각형의 둘레는
(가로 + 세로) × 2야.

(24 cm   )

(직사각형의 둘레)＝(8＋4)×2＝12×2＝24 (cm)

6

10 m

5 m

단위를 헷갈리지
않도록 주의해.

(   )

2

7 cm

6 cm

(   )

7

12 m

6 m

(   )

3

13 cm

8 cm

(   )

8

5 m

9 m

(   )

4

4 cm

9 cm

(   )

9

6 m

15 m

(   )

5

18 cm

12 cm

(   )

10

7 m

16 m

(   )

✹ 직사각형의 둘레가 다음과 같을 때 □ 안에 알맞은 수를 써넣으시오.

1 둘레: 16 cm

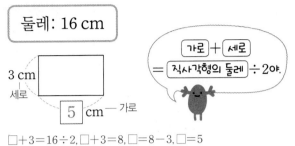

3 cm
세로

5 cm ― 가로

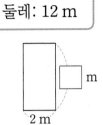

□+3=16÷2, □+3=8, □=8−3, □=5

5 둘레: 12 m

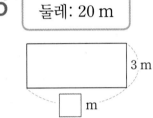

m

2 m

2 둘레: 18 cm

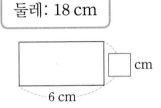

cm

6 cm

6 둘레: 20 m

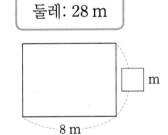

3 m

m

3 둘레: 26 cm

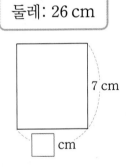

7 cm

cm

7 둘레: 28 m

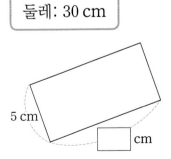

m

8 m

4 둘레: 30 cm

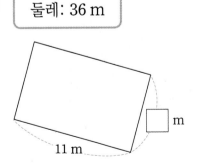

5 cm

cm

8 둘레: 36 m

m

11 m

6

다각형의 둘레와 넓이

☀ **평행사변형의 둘레를 구하시오.**

1

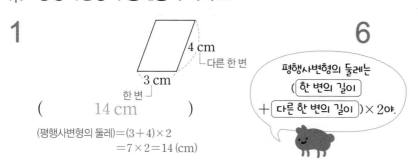

(14 cm   )

(평행사변형의 둘레)=(3+4)×2
               =7×2=14 (cm)

6

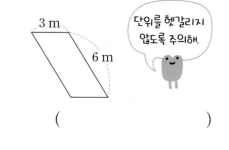

(   )

2

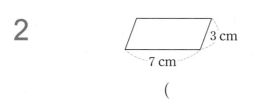

(   )

7

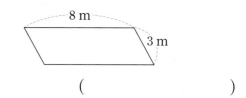

(   )

3

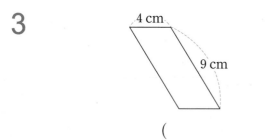

(   )

8

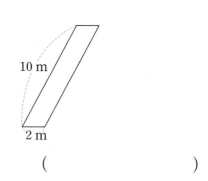

(   )

4

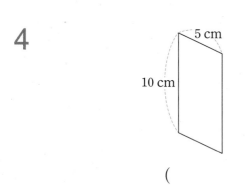

(   )

9

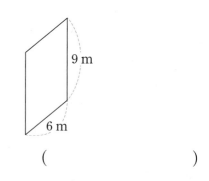

(   )

5

(   )

10

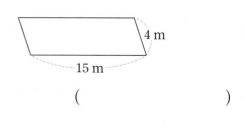

(   )

☀ 평행사변형의 둘레가 다음과 같을 때 □ 안에 알맞은 수를 써넣으시오.

1 둘레: 10 cm

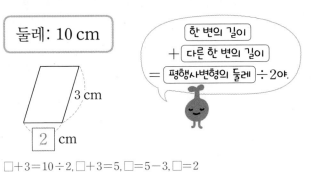

한 변의 길이
＋ 다른 한 변의 길이
＝ 평행사변형의 둘레 ÷2야.

3 cm
[2] cm

□＋3＝10÷2, □＋3＝5, □＝5－3, □＝2

2 둘레: 18 cm

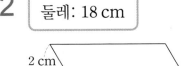

2 cm
□ cm

3 둘레: 22 cm

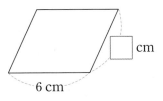

□ cm
6 cm

4 둘레: 26 cm

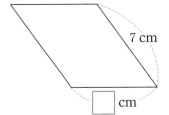

7 cm
□ cm

5 둘레: 24 m

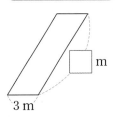

□ m
3 m

6 둘레: 30 m

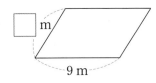

□ m
9 m

7 둘레: 34 m

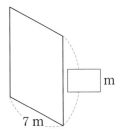

□ m
7 m

8 둘레: 40 m

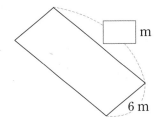

□ m
6 m

6 다각형의 둘레와 넓이

✹ **마름모의 둘레를 구하시오.**

1　2 cm

마름모의 둘레는
한 변의 길이 × 4야.

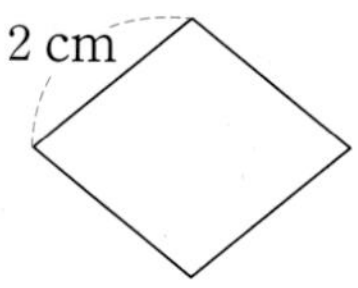

(　　　8 cm　　　)

(마름모의 둘레)＝2×4＝8 (cm)

6　4 m

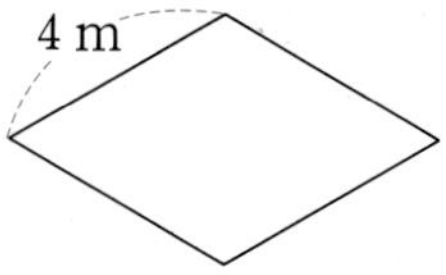

단위를 헷갈리지
않도록 주의해.

(　　　　　　　)

2　5 cm

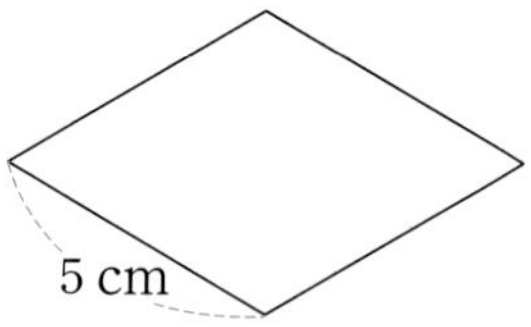

(　　　　　　　)

7　7 m

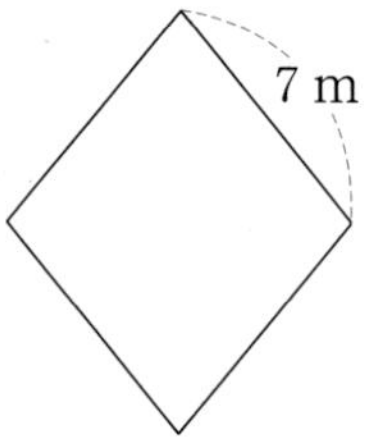

(　　　　　　　)

3　6 cm

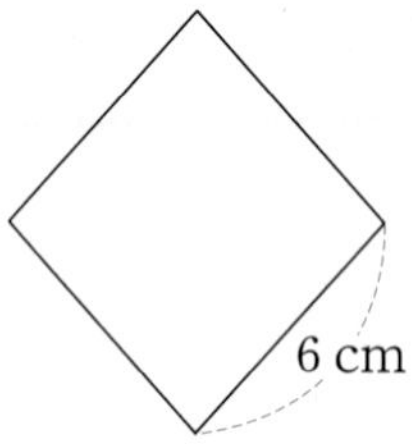

(　　　　　　　)

8　9 m

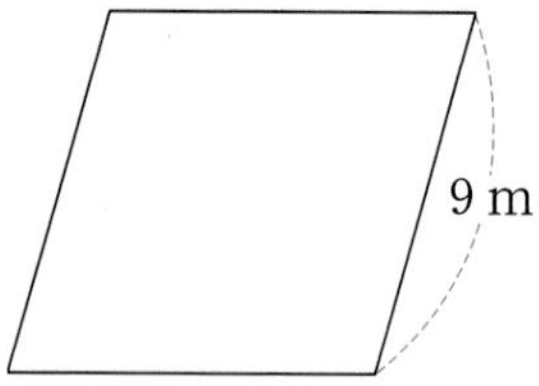

(　　　　　　　)

4　8 cm

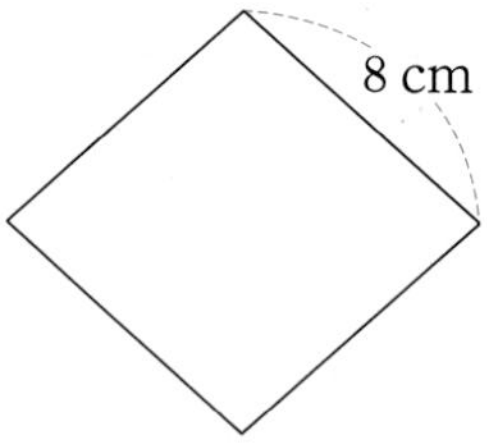

(　　　　　　　)

9　12 m

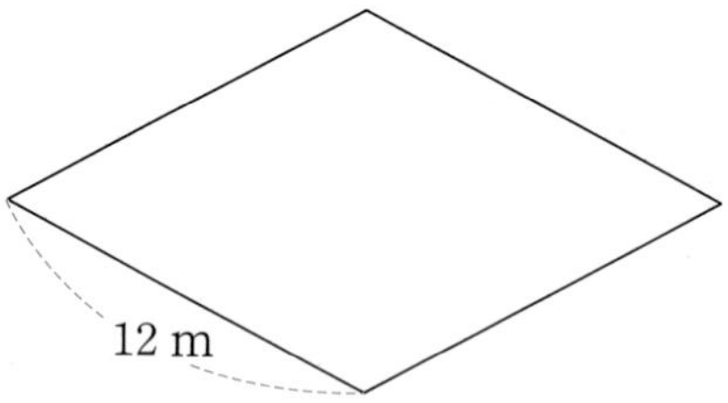

(　　　　　　　)

5　11 cm

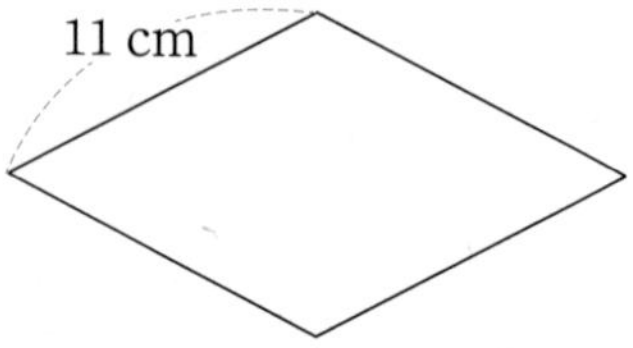

(　　　　　　　)

10　10 m

(　　　　　　　)

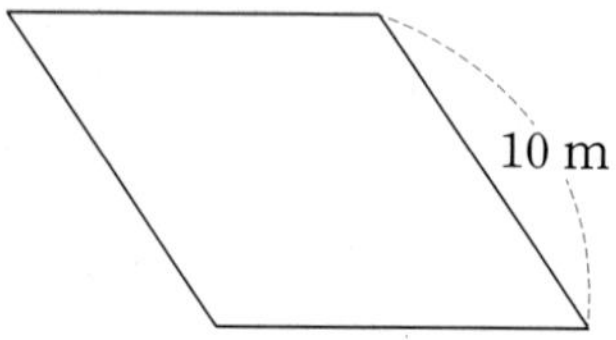

☀ 마름모의 둘레가 다음과 같을 때 □ 안에 알맞은 수를 써넣으시오.

1 둘레: 12 cm

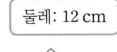

한 변의 길이
= 마름모의 둘레 ÷ 4야.

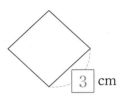

[3] cm

(한 변의 길이)=12÷4=3 (cm)

5 둘레: 20 m

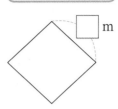

□ m

2 둘레: 16 cm

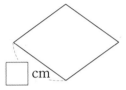

□ cm

6 둘레: 32 m

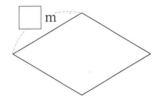

□ m

3 둘레: 28 cm

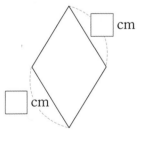

□ cm

□ cm

7 둘레: 36 m

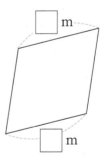

□ m

□ m

4 둘레: 40 cm

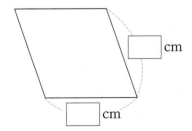

□ cm

□ cm

8 둘레: 52 m

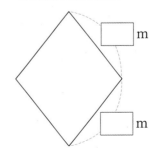

□ m

□ m

☀ 다각형의 둘레를 구하시오.

1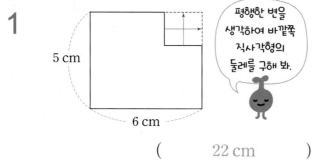

5 cm

6 cm

평행한 변을 생각하여 바깥쪽 직사각형의 둘레를 구해 봐.

(22 cm   )

(다각형의 둘레)＝(가로가 6 cm, 세로가 5 cm인 직사각형의 둘레)
＝(6＋5)×2＝11×2＝22 (cm)

5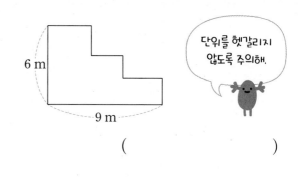

6 m

9 m

단위를 헷갈리지 않도록 주의해.

(   )

2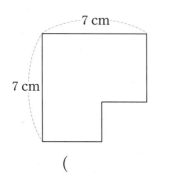

7 cm

7 cm

(   )

6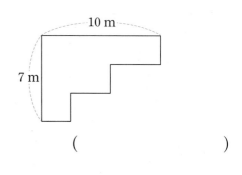

10 m

7 m

(   )

3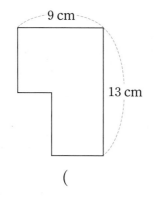

9 cm

13 cm

(   )

7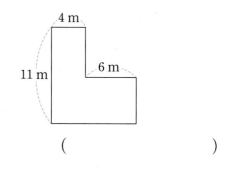

4 m

11 m

6 m

(   )

4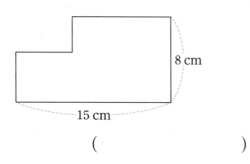

8 cm

15 cm

(   )

8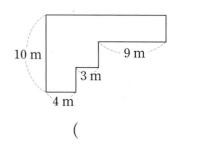

10 m

9 m

3 m

4 m

(   )

☀ 도형의 넓이를 구하려고 합니다. □ 안에 알맞은 수를 써넣으시오.

1

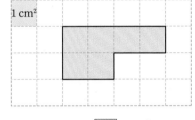

넓이: 5 cm²

넓이가 1 cm²인 정사각형이 5개이므로 5 cm²이다.

5

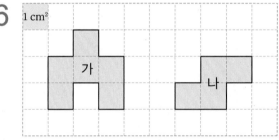

가는 나보다 넓이가 □ cm² 더 넓습니다.

2

넓이: □ cm²

6

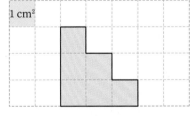

가는 나보다 넓이가 □ cm² 더 넓습니다.

3

넓이: □ cm²

7

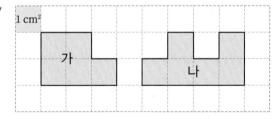

가는 나보다 넓이가 □ cm² 더 좁습니다.

4

넓이: □ cm²

8

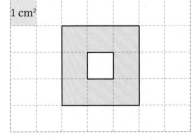

가는 나보다 넓이가 □ cm² 더 넓습니다.

☀ **직사각형과 정사각형의 넓이를 구하시오.**

1
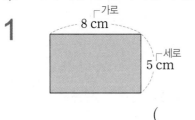

(40 cm²)

(직사각형의 넓이)=8×5=40 (cm²)

6
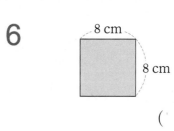

(64 cm²)

(정사각형의 넓이)=8×8=64 (cm²)

2
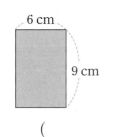

(   )

7
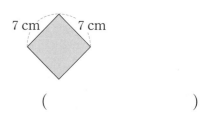

(   )

3
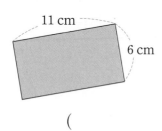

(   )

8
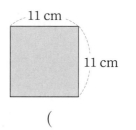

(   )

4
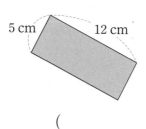

(   )

9
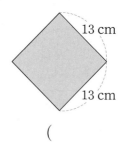

(   )

5
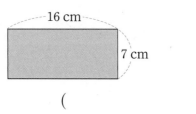

(   )

10
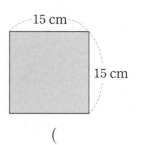

(   )

☀ 직사각형의 넓이가 다음과 같을 때 □ 안에 알맞은 수를 써넣으시오.

1 넓이: 8 cm^2

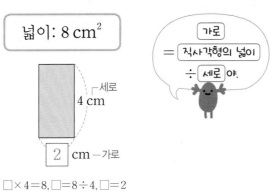

┌세로
4 cm

2 cm ─가로

$\square \times 4 = 8, \square = 8 \div 4, \square = 2$

2 넓이: 15 cm^2

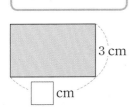

3 cm

□ cm

3 넓이: 60 cm^2

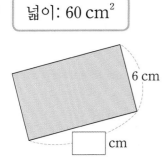

6 cm

□ cm

4 넓이: 117 cm^2

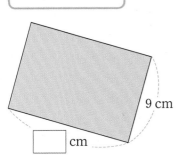

9 cm

□ cm

5 넓이: 12 cm^2

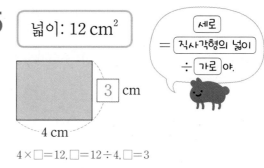

3 cm

4 cm

$4 \times \square = 12, \square = 12 \div 4, \square = 3$

6 넓이: 30 cm^2

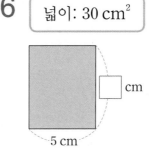

□ cm

5 cm

7 넓이: 45 cm^2

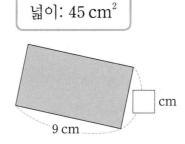

□ cm

9 cm

8 넓이: 105 cm^2

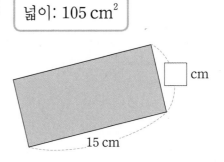

□ cm

15 cm

6

다각형의 둘레와 넓이

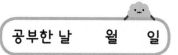

❋ □ 안에 알맞은 수를 써넣으시오.

1 $2 \text{ m}^2 = \boxed{20000} \text{ cm}^2$
└─ 0이 4개

> $1 \text{ m}^2 = 10000 \text{ cm}^2$야.

2 $4 \text{ m}^2 = \boxed{} \text{ cm}^2$

3 $9 \text{ m}^2 = \boxed{} \text{ cm}^2$

4 $10 \text{ m}^2 = \boxed{} \text{ cm}^2$

5 $58 \text{ m}^2 = \boxed{} \text{ cm}^2$

6 $60000 \text{ cm}^2 = \boxed{} \text{ m}^2$

7 $70000 \text{ cm}^2 = \boxed{} \text{ m}^2$

8 $150000 \text{ cm}^2 = \boxed{} \text{ m}^2$

9 $300000 \text{ cm}^2 = \boxed{} \text{ m}^2$

10 $820000 \text{ cm}^2 = \boxed{} \text{ m}^2$

11 $3 \text{ km}^2 = \boxed{3000000} \text{ m}^2$
└─ 0이 6개

> $1 \text{ km}^2 = 1000000 \text{ m}^2$야.

12 $5 \text{ km}^2 = \boxed{} \text{ m}^2$

13 $8 \text{ km}^2 = \boxed{} \text{ m}^2$

14 $20 \text{ km}^2 = \boxed{} \text{ m}^2$

15 $76 \text{ km}^2 = \boxed{} \text{ m}^2$

16 $4000000 \text{ m}^2 = \boxed{} \text{ km}^2$

17 $9000000 \text{ m}^2 = \boxed{} \text{ km}^2$

18 $16000000 \text{ m}^2 = \boxed{} \text{ km}^2$

19 $50000000 \text{ m}^2 = \boxed{} \text{ km}^2$

20 $94000000 \text{ m}^2 = \boxed{} \text{ km}^2$

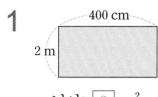

✹ 직사각형과 정사각형의 넓이를 구하시오.

1

넓이: [8] m²

400 cm=4 m
⇨ (직사각형의 넓이)=4×2=8 (m²)

5
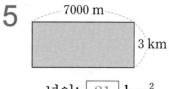
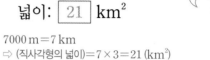
넓이: [21] km²

7000 m=7 km
⇨ (직사각형의 넓이)=7×3=21 (km²)

2
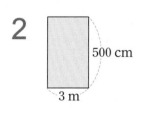
넓이: [ ] m²

6
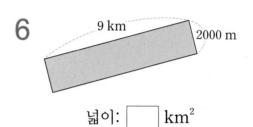
넓이: [ ] km²

3
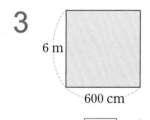
넓이: [ ] m²

7
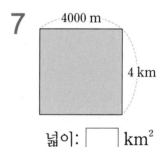
넓이: [ ] km²

4
넓이: [ ] m²

8
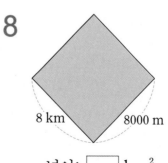
넓이: [ ] km²

☀ 평행사변형의 넓이를 구하시오.

1
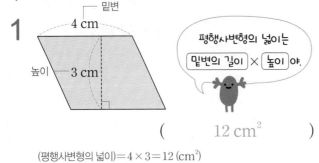

평행사변형의 넓이는
밑변의 길이 × 높이 야.

(12 cm²   )

(평행사변형의 넓이)＝4 × 3＝12 (cm²)

5
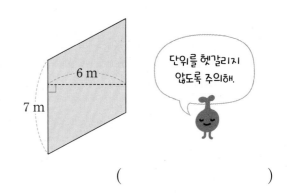

단위를 헷갈리지
않도록 주의해.

(   )

2
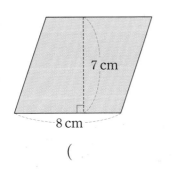

(   )

6
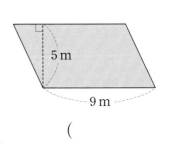

(   )

3
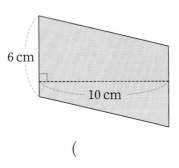

(   )

7
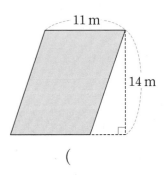

(   )

4
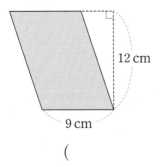

(   )

8
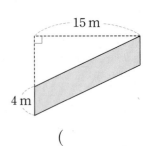

(   )

16 평행사변형의 넓이 구하기⑵

☀ 넓이가 다른 평행사변형 하나를 찾아 기호를 쓰시오.

1

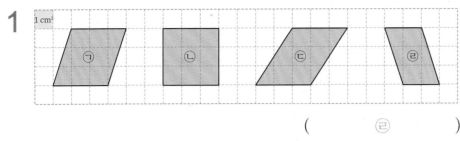

밑변의 길이와 높이가 같으면 모양이 달라도 넓이는 같아.

(㉣   )

㉠, ㉡, ㉢ ⇨ 밑변의 길이: 3 cm, 높이: 3 cm ⇨ (넓이)=3×3=9 (cm²)
㉣ ⇨ 밑변의 길이: 2 cm, 높이: 3 cm ⇨ (넓이)=2×3=6 (cm²)

2

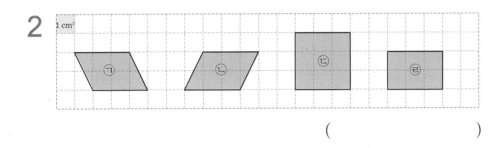

(   )

3

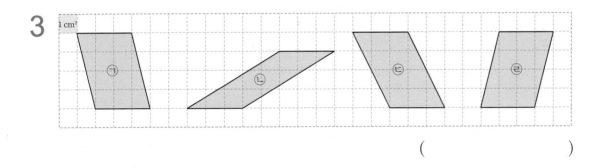

(   )

4

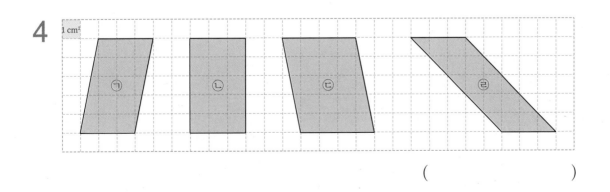

(   )

6
다각형의 둘레와 넓이

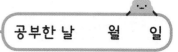
☀ 평행사변형의 넓이가 다음과 같을 때 □ 안에 알맞은 수를 써넣으시오.

1 넓이: 10 cm²

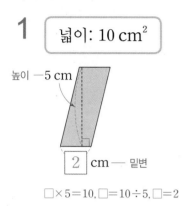

높이 —5 cm

2 cm — 밑변

$□ \times 5 = 10, □ = 10 \div 5, □ = 2$

5 넓이: 12 cm²

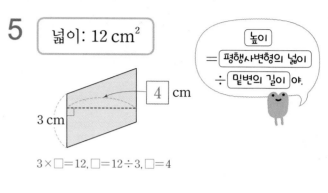

4 cm

3 cm

$3 \times □ = 12, □ = 12 \div 3, □ = 4$

2 넓이: 50 cm²

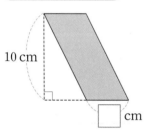

10 cm

cm

6 넓이: 84 cm²

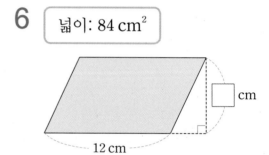

cm

12 cm

3 넓이: 135 cm²

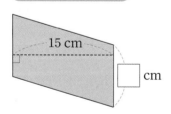

15 cm

cm

7 넓이: 120 cm²

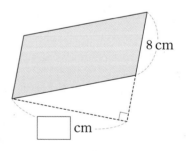

8 cm

cm

4 넓이: 242 cm²

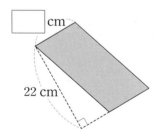

cm

22 cm

8 넓이: 154 cm²

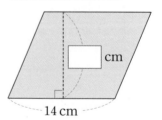

cm

14 cm

☀ **삼각형의 넓이를 구하시오.**

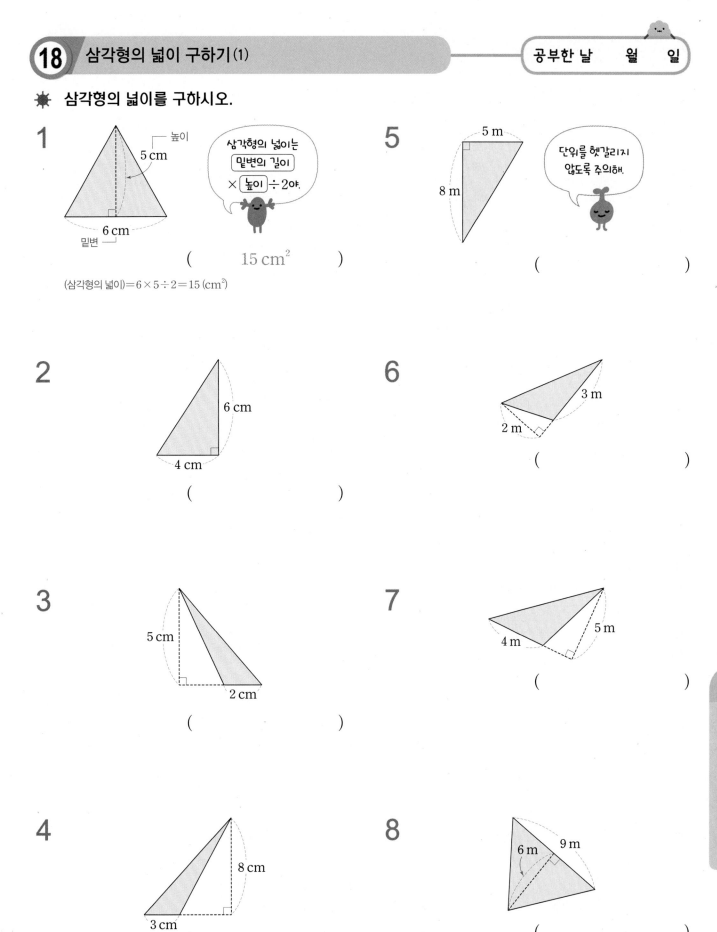

1

높이
5 cm
6 cm
밑변

삼각형의 넓이는
밑변의 길이
× 높이 ÷ 2야.

(　15 cm² 　)

(삼각형의 넓이)＝6 × 5 ÷ 2 ＝ 15 (cm²)

5

5 m
8 m

단위를 헷갈리지
않도록 주의해.

(　　　)

2

6 cm
4 cm

(　　　)

6

3 m
2 m

(　　　)

3

5 cm
2 cm

(　　　)

7

4 m
5 m

(　　　)

4

8 cm
3 cm

(　　　)

8

6 m
9 m

(　　　)

6

다각형의 둘레와 넓이

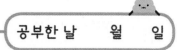

공부한 날   월   일

☀ 넓이가 <u>다른</u> 삼각형 하나를 찾아 기호를 쓰시오.

1

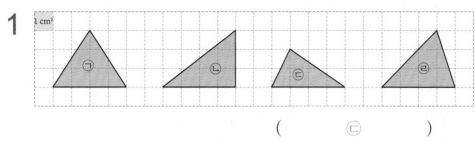

밑변의 길이와 높이가 같으면 모양이 달라도 넓이는 같아.

(㉢   )

㉠, ㉡, ㉣ ⇨ 밑변의 길이: 4 cm, 높이: 3 cm ⇨ (넓이)＝4×3÷2＝6 (cm²)
㉢ ⇨ 밑변의 길이: 4 cm, 높이: 2 cm ⇨ (넓이)＝4×2÷2＝4 (cm²)

2

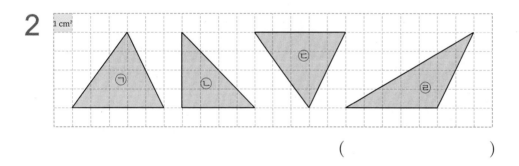

(   )

3

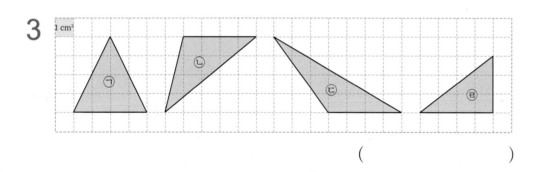

(   )

4

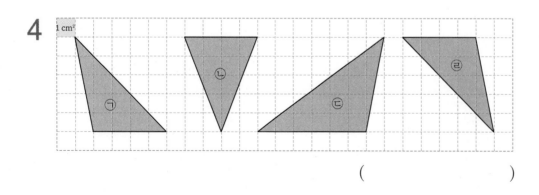

(   )

✹ 삼각형의 넓이가 다음과 같을 때 □ 안에 알맞은 수를 써넣으시오.

1 넓이: 10 cm²

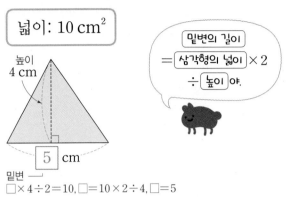

$\square \times 4 \div 2 = 10, \square = 10 \times 2 \div 4, \square = 5$

5 넓이: 12 cm²

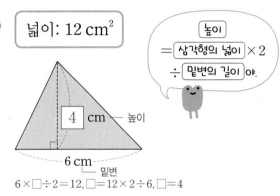

$6 \times \square \div 2 = 12, \square = 12 \times 2 \div 6, \square = 4$

2 넓이: 9 cm²

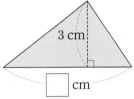

6 넓이: 35 cm²

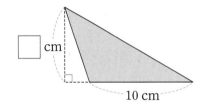

3 넓이: 63 cm²

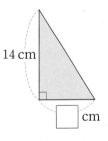

7 넓이: 40 cm²

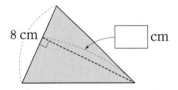

4 넓이: 88 cm²

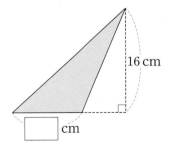

8 넓이: 42 cm²

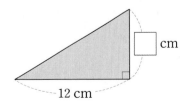

☀ **마름모의 넓이를 구하시오.**

1
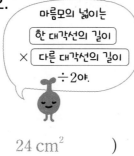

6 cm
8 cm

마름모의 넓이는
한 대각선의 길이
× 다른 대각선의 길이
÷ 2야.

(　　24 cm²　　)

(마름모의 넓이)=8×6÷2=24 (cm²)

5

4 m
5 m

단위를 헷갈리지
않도록 주의해.

(　　　　　)

2
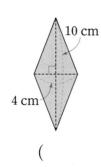

10 cm
4 cm

(　　　　　)

6
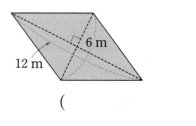

12 m
6 m

(　　　　　)

3
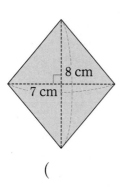

8 cm
7 cm

(　　　　　)

7
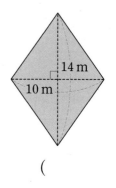

14 m
10 m

(　　　　　)

4
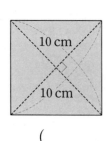

10 cm
10 cm

(　　　　　)

8
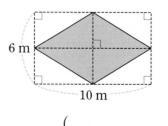

6 m
10 m

(　　　　　)

22 마름모의 넓이를 알 때 한 대각선의 길이 구하기

☀ 마름모의 넓이가 다음과 같을 때 □ 안에 알맞은 수를 써넣으시오.

1 넓이: 6 cm²

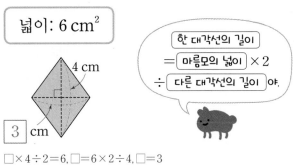

한 대각선의 길이
= 마름모의 넓이 ×2
÷ 다른 대각선의 길이 야.

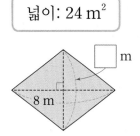

3 cm

□×4÷2=6, □=6×2÷4, □=3

2 넓이: 20 cm²

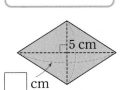

3 넓이: 30 cm²

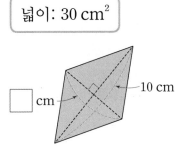

4 넓이: 54 cm²

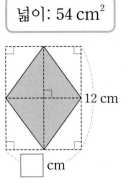

5 넓이: 24 m²

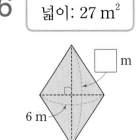

6 넓이: 27 m²

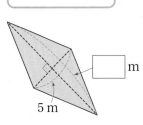

7 넓이: 30 m²

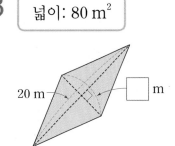

8 넓이: 80 m²

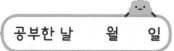

🌟 **사다리꼴의 넓이를 구하시오.**

1

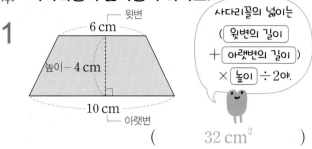

(　　32 cm² 　　)

(사다리꼴의 넓이)=(6+10)×4÷2=16×4÷2=32 (cm²)

5

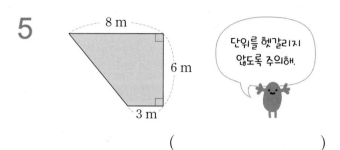

(　　　　　　　　　)

2

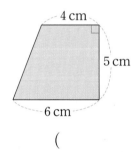

(　　　　　　　　)

6

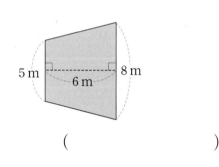

(　　　　　　　　　)

3

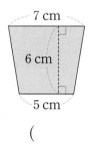

(　　　　　　　　)

7

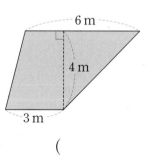

(　　　　　　　　　)

4

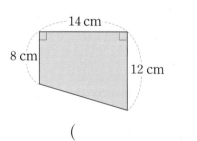

(　　　　　　　　)

8

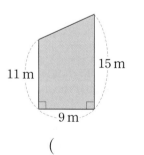

(　　　　　　　　　)

☀ 사다리꼴의 넓이가 다음과 같을 때 □ 안에 알맞은 수를 써넣으시오.

1 넓이: 9 cm²

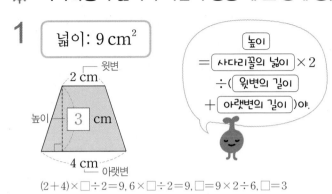
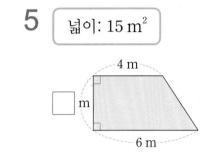

$(2+4) \times □ \div 2 = 9, 6 \times □ \div 2 = 9, □ = 9 \times 2 \div 6, □ = 3$

2 넓이: 16 cm²

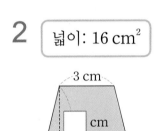

3 넓이: 26 cm²

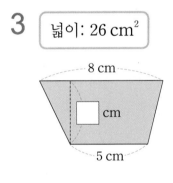

4 넓이: 48 cm²

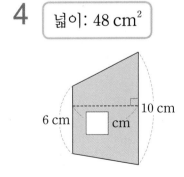

5 넓이: 15 m²

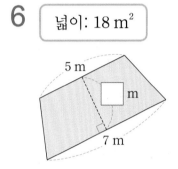

6 넓이: 18 m²

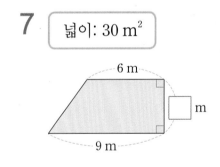

7 넓이: 30 m²

8 넓이: 50 m²

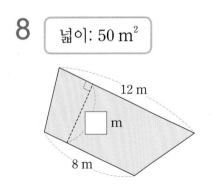

6

다각형의 둘레와 넓이

☀ 도형의 넓이를 구하시오.

1

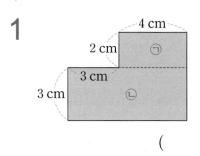

도형을 여러 개의 직사각형으로 나누어 넓이를 계산해.

($29 \, \text{cm}^2$)

(도형의 넓이)=(㉠의 넓이)+(㉡의 넓이)
$= 4 \times 2 + (3+4) \times 3$
$= 8 + 21 = 29 \, (\text{cm}^2)$

4

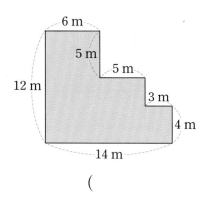

단위를 헷갈리지 않도록 주의해.

(   )

2

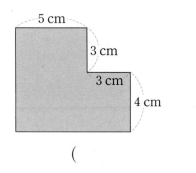

(   )

5

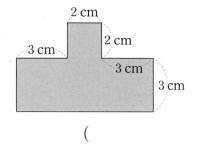

(   )

3

(   )

6

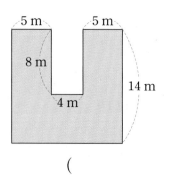

(   )

☀ 도형의 넓이를 구하시오.

1

큰 직사각형의 넓이에서 작은 직사각형의 넓이를 빼어 봐.

(　　29 cm² 　　)

(큰 직사각형의 넓이)−(㉠의 넓이)
=7×5−3×2=35−6=29 (cm²)

4
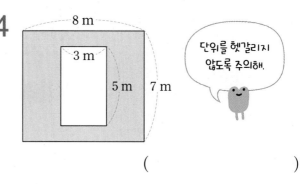

단위를 헷갈리지 않도록 주의해.

(　　　　　　　)

2
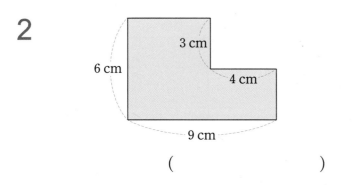

(　　　　　　)

5
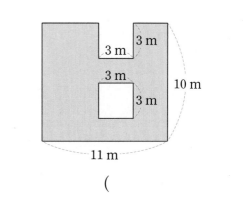

(　　　　　　)

3
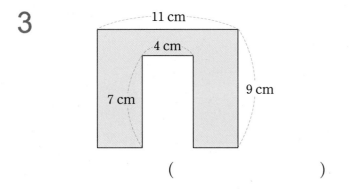

(　　　　　　)

6
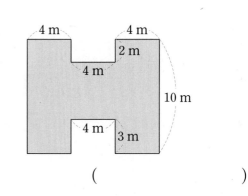

(　　　　　　)

☀ **도형의 넓이를 구하시오.**

1

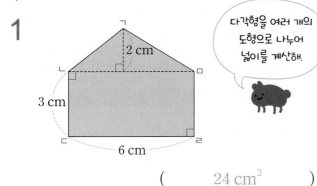

다각형을 여러 개의 도형으로 나누어 넓이를 계산해.

(24 cm²   )

(도형의 넓이)=(삼각형 ㄱㄴㅁ의 넓이)+(직사각형 ㄴㄷㄹㅁ의 넓이)
$$=6\times2\div2+6\times3$$
$$=6+18=24\,(\text{cm}^2)$$

4

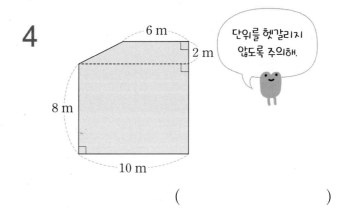

단위를 헷갈리지 않도록 주의해.

(   )

2

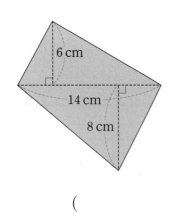

(   )

5

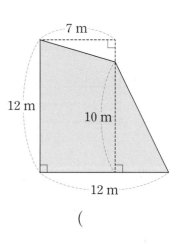

(   )

3

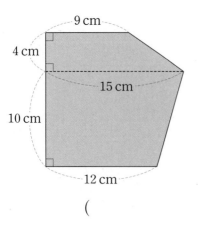

(   )

6

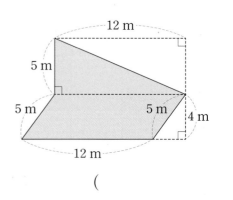

(   )

☀ 도형의 넓이를 구하시오.

1

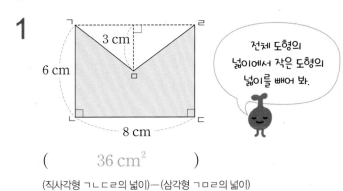

전체 도형의 넓이에서 작은 도형의 넓이를 빼어 봐.

(36 cm²   )

(직사각형 ㄱㄴㄷㄹ의 넓이)−(삼각형 ㄱㅁㄹ의 넓이)
=8×6−8×3÷2=48−12=36 (cm²)

4

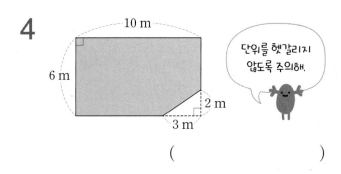

단위를 헷갈리지 않도록 주의해.

(   )

2

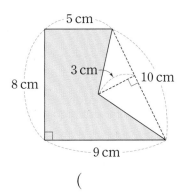

(   )

5

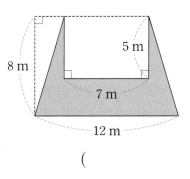

(   )

3

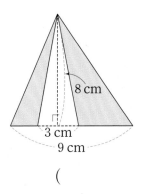

(   )

6

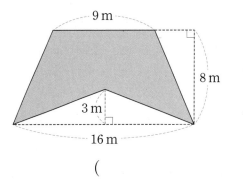

(   )

☀ **직사각형과 마름모의 둘레를 구하시오. [1~2]**

1

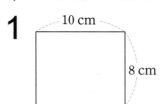

10 cm
8 cm

(   )

· 직사각형의 둘레
=(가로 + 세로)×2

2

5 cm

(   )

· 마름모의 둘레
= 한 변의 길이 ×4

3 한 변의 길이가 7 m인 정사각형 모양의 꽃밭이 있습니다. 이 꽃밭의 둘레는 몇 m입니까?

(   )

꽃밭은 정사각형 모양이므로 정사각형의 둘레를 구하는 방법을 생각해 봐.

☀ **평행사변형과 삼각형의 넓이를 구하시오. [4~5]**

4

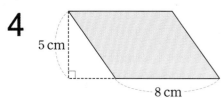

5 cm
8 cm

(   )

· 평행사변형의 넓이
= 밑변의 길이 × 높이

5

9 cm
24 cm

(   )

· 삼각형의 넓이
= 밑변의 길이 × 높이 ÷2

6 다음 중 <u>잘못된</u> 것의 기호를 쓰시오.

> ㉠ 7 m²=70000 cm²   ㉡ 10 km²=100000 m²

(   )

- 1 m²=10000 cm²
- 1 km²=1000000 m²

7 우진이는 색종이를 접어서 설날에 받을 세뱃돈을 넣을 직사각형 모양의 지갑을 만들었습니다. 이 지갑의 넓이는 몇 cm²입니까?

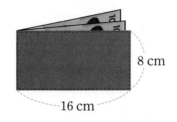

식 _____   답 _____

지갑은 직사각형 모양이므로 직사각형의 넓이를 구하는 방법을 생각해 봐.

8 직사각형의 가로는 몇 m입니까?

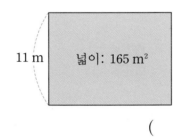

(   )

- 직사각형에서
  가로 = 넓이 ÷ 세로
  를 이용하여 구합니다.

9 정수는 색종이로 다음과 같이 양 머리를 만들었습니다. 양 머리의 넓이는 몇 cm²입니까?

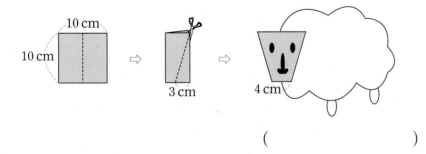

(   )

- 양 머리는 사다리꼴 모양입니다.
- 사다리꼴의 넓이
  = (윗변의 길이
  + 아랫변의 길이)
  × 높이 ÷ 2

QR 코드를 찍어 보세요.
문제 생성기 새로운 문제를 계속 풀 수 있어요.

6. 다각형의 둘레와 넓이 **159**

조건에 맞게 나누기

다음 각 모눈을 조건에 맞게 나누어 보시오.

- 그림의 모눈은 모두 직사각형 모양의 블록으로 나누어집니다.
- 모눈에 쓰인 수는 블록 한 개에 포함된 모눈의 칸수를 나타냅니다.

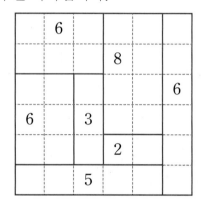

1

2

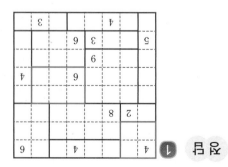